Classiques Bordas

Micromégas
L'Ingénu

VOLTAIRE

Ouvrage publié sous la direction de
MARIE-HÉLÈNE PRAT

Édition présentée par
JACQUES POPIN
Agrégé des Lettres
Docteur d'État

www.universdeslettres.com

Voir « LE TEXTE ET SES IMAGES » p. 164
pour l'exploitation de l'iconographie de ce dossier.

1. *Louis XIV tenant le sceau*, détail d'un tableau de l'École française du XVIIe siècle, 1672. (Musée national du Château de Versailles.)

LE POUVOIR ET LA « CIVILISATION »

2. *Hérétique signant sa conversion*, lithographie de Godefroy Engelmann (1788-1839) d'après un dessin original de 1686.
(Bibliothèque nationale de France, Paris.)

3. *Le Phénix renaissant de ses cendres*, eau-forte anonyme, XVIIIe siècle.
(Bibliothèque nationale de France, Paris.)

4. *Louis XIV devant la grotte de Thétis à Versailles*, tableau de l'École française du XVIIe siècle. (Musée national du Château de Versailles.)

5. *Voltaire et les paysans*, encre et aquarelle d'après Jean Huber, fin XVIIIe siècle. (Institut et musée Voltaire, Genève.)

6. *Voltaire à la Bastille composant* La Henriade, gravure d'après dessin de François Bouchot (1800-1842). (Musée Carnavalet, Paris.)

7. *Le Contrat*, 1743, une des six toiles du *Mariage à la mode* de William Hogarth. (National Gallery, Londres).

POINTS DE VUE SUR LE MARIAGE

9. *Mariage des sauvages du Canada*, gravure aquarellée de Jacques Grasset de Saint-Sauveur, extraite des *Tableaux cosmographiques de l'Europe, de l'Asie, de l'Afrique et de l'Amérique*, 1787. (Bibliothèque nationale de France, Paris.) ➤

8. *Le Verrou*, Jean-Honoré Fragonard, 1780. (Musée du Louvre, Paris.)

10. *Homme acadien*, dessin extrait de l'*Encyclopédie des voyages* par Jacques Grasset de Saint-Sauveur, 1796. (Bibliothèque nationale de France, Paris.)

11. *Canada : chef des sauvages en costume européen, mais tenant un casse-tête et la pipe de guerre*, gravure de Jacques Grasset de Saint-Sauveur, extraite des *Tableaux cosmographiques de l'Europe, de l'Asie, de l'Afrique et de l'Amérique*, 1787. (Bibliothèque nationale de France, Paris.)

REGARDS SUR L'ŒUVRE

1715	1723		1774
LOUIS XIV	RÉGENCE	LOUIS XV	LOUIS XVI

1688	MARIVAUX	1763
1689	MONTESQUIEU	1755
1694	**VOLTAIRE**	**1778**
1712	ROUSSEAU	1778
1713	DIDEROT	1784
1717	D'ALEMBERT	1783

ŒUVRES DE VOLTAIRE

1718	*Œdipe* ■
1728	*La Henriade* ○
1731	*Histoire de Charles XII* ❑
1732	*Zaïre* ■
1733	*Le Temple du goût* ●
1734	*Lettres philosophiques* ●
1747	*Zadig* ●
1751-1768	*Le Siècle de Louis XIV* ❑
1752	***Micromégas*** ●
1756	*Essai sur les mœurs* ●
1756	*Histoire des voyages de Scarmentado* ●
1757	*Mémoires* (publ. 1784)
1759	*Candide* ●
1763	*Traité sur la tolérance* ●
1764	*Dictionnaire philosophique* ●
1767	***L'Ingénu*** ●
1778	*Irène* ■

■ théâtre ❑ histoire ● philosophie et/ou roman ○ épopée

LIRE AUJOURD'HUI *MICROMÉGAS ET L'INGÉNU*

Un Indien huron débarque en Basse-Bretagne : surprise du Huron, surprise des Bas-Bretons... Deux extraterrestres arrivent sur notre Terre : surprise générale...

Y a-t-il un rapport entre *Micromégas*, 1752, « Histoire philosophique », en fait récit que l'on dirait aujourd'hui de science-fiction, et *L'Ingénu*, 1767, « Histoire véritable » qui rapporte des événements antérieurs de quatre-vingts ans ? Par-delà ces oppositions de pure forme, la lecture, stimulante, des deux ouvrages fait apparaître des lignes de force communes. Dans les deux cas en effet, notre monde, notre conception de ce monde, bref notre philosophie, sont visités par des voyageurs étrangers, qui portent sur eux un regard neuf (le fameux « point de vue de Sirius »), propre à en révéler les travers, masqués par l'habitude. Il en résulte un formidable bouleversement des perspectives, que Voltaire se plaît à entortiller encore. Il n'y a plus ni géants ni nains, ni grands ni petits : c'est la seule philosophie, la vraie, qui fait la stature ; il n'y a plus ni civilisés ni sauvages (surtout quand le sauvage s'avère être un faux Huron, vrai Breton), mais seulement des méchants et d'autres qui tentent, avec d'inégales réussites, de devenir simplement des honnêtes gens.

En outre, Voltaire se plaît à jouer avec les attentes du lecteur. À l'inverse des voyages utopiques qui conduisent l'homme sur d'autres planètes, dans *Micromégas*, c'est notre monde qui reçoit la visite d'un Sirien et d'un Saturnien. Or, ceux-ci partagent presque toutes les idées des savants terriens avec lesquels ils finissent par pouvoir communiquer. De plus, le lecteur connaît déjà des récits de visites effectuées en France par des Siamois ou des Persans – ceux des *Lettres persanes* de Montesquieu –, ahuris par des mœurs qu'ils nous aident à remettre en question. Que penser alors de l'Ingénu, qui se révèle rapidement être un Bas-Breton, jadis recueilli par des Hurons ? Sa surprise devant notre société n'est-elle pas la preuve que ce n'est ni le sang, ni la race qui fondent notre vision du monde, mais la seule éducation ?

Illustration de S. Sauvage pour la couverture
de *L'Ingénu*, édition de 1922.
(Bibliothèque nationale de France, Paris).

REPÈRES

L'AUTEUR : Voltaire.

PUBLICATION : *Micromégas*, publié ouvertement et sous le nom de l'auteur en 1752 date probablement de 1739 ; *L'Ingénu* est publié clandestinement en 1767 et sera d'ailleurs rapidement condamné.

GENRES : *Micromégas* est un conte et fonctionne sur des données qui relèvent du merveilleux ; *L'Ingénu* est de l'essence du roman, tout en se jouant des conventions du genre.

PLACE DANS L'ŒUVRE DE VOLTAIRE : dans la production du genre « conte-roman », *Micromégas* est l'un des premiers essais, tandis que *L'Ingénu* couronne la brillante série qui comporte *Zadig* (1748) et *Candide* (1759). Voltaire ne donnera ensuite plus que *Le Taureau blanc* (1773) et, significativement, la même année, une version « châtiée » de son premier conte, *Le Crocheteur borgne*.

STRUCTURE : dans les deux cas, les chapitres donnent un sommaire qui annonce le contenu mais forme aussi, bien souvent, un jeu avec la curiosité du lecteur ou un acte de dérision envers celle-ci. L'autre point commun est aussi le fil conducteur commode du voyage, qui devient un voyage initiatique.

ENJEUX : *Micromégas* reste une œuvre sérieuse, qui pose, sur la science et le progrès, quelques questions fondamentales. *L'Ingénu* juxtapose une partie narrative, qui fait flèche de tout bois (roman sentimental, roman exotique, etc.), et une partie inerte (le séjour à la Bastille), qui permet de traiter les problèmes culturels et religieux.

VOLTAIRE, *MICROMÉGAS* ET *L'INGÉNU*

Le Voltaire tel que se le figure l'imagination populaire, l'« affreux Voltaire » comme l'appelait le XIXe siècle bien-pensant, ne s'est pas fait en un jour. L'histoire de sa vie est aussi celle d'un apprentissage de la liberté.

AROUET LE JEUNE, PARISIEN

Né le 21 novembre 1694, il rompt d'abord avec son milieu d'origine : il se forge le nom de M. de Voltaire par anagramme de **AROVET** Le **I**eune. Il renonce au droit et à la carrière de notaire qu'exerçaient son père et son frère, et entre en littérature – d'abord auteur dramatique (*Œdipe*, 1718) et poète épique (*La Henriade*, 1728) de renom. Mais il est aussi poète badin, léger, amusant, satirique. Ses maîtres du Grand Collège des jésuites (le futur lycée Louis-le-Grand) l'avaient bien évalué : « enfant intelligent, mais polisson insigne ». La fréquentation des milieux libertins assure le reste : son parrain, l'abbé de Châteauneuf ; la société du Temple (1705), où se retrouvent les beaux esprits affranchis des préjugés ; la célèbre courtisane Ninon de Lenclos qui lui offre une bourse « pour avoir des livres ». Après la mort de Louis XIV, les contraintes qui pesaient sur la société française se relâchent. Voltaire fréquente encore la cour de Sceaux (1715), milord Bolingbrocke aussi (1719) qui réside au château de La Source, près d'Orléans, et qui a pu lui suggérer une image séduisante de l'Angleterre, pays de la liberté.

Cette vie toute mondaine lui vaut quelques ennuis : un exil (doré) à Sully-sur-Loire (1716), un séjour de 11 mois à la Bastille (mai 1717-avril 1718). Aussi, lorsque les choses se gâtent après une querelle avec le chevalier de Rohan qui l'a fait bâtonner, le pouvoir l'encourage vivement à **séjourner en Angleterre**. Il y trouve un pays de liberté et de progrès qui le ravit (1726-1728).

LES *LETTRES SUR L'ANGLETERRE* OU LES *LETTRES PHILOSOPHIQUES*

Au retour, il se laisse à nouveau absorber par la même vie mondaine et frivole, dont il dira plus tard sa lassitude :

« J'étais las de la vie oisive et turbulente de Paris, de la foule des petits maîtres, des mauvais livres imprimés avec approbation et privilège du Roi, des cabales des gens de lettres, des bassesses et du brigandage des misérables qui déshonoraient la littérature. » (*Mémoires*, 1757.)

Le prétexte à cette **première retraite** va lui être fourni par la publication, sous le masque de l'anonymat, des *Lettres philosophiques* en 1734. Il fuit les poursuites (il est l'objet d'une lettre de cachet) et se retire à Cirey auprès de la marquise du Châtelet. Il se consacre à l'étude, à la physique, à l'astronomie et se forge ses armes pour la lutte philosophique. Il fait d'ailleurs de fréquents séjours à la cour de Lorraine à Lunéville, et des voyages en Hollande, à Bruxelles, à Clèves et à Berlin, où il est invité par le roi de Prusse, Frédéric II.

La Bastille en 1740.
Estampe du XIXᵉ siècle d'après Théodor Hoffbauer.

Certes il lui arrive encore de revenir à Paris, et il va même connaître encore une période brillante lorsque ses amis seront au pouvoir. Entre 1743 et 1747, les frères d'Argenson le favorisent, ce qui lui vaut des **missions diplomatiques officieuses** en Prusse auprès de Frédéric II, sa nomination comme historiographe de France (1745) et son élection à l'Académie (1746).

POTSDAM OU LE SALOMON DU NORD

Le 25 juin 1750, Voltaire quitte Paris où il ne reviendra qu'en 1778, l'année de sa mort : il a 55 ans. Il croit trouver auprès de Frédéric II, qu'il appelle « le Salomon du Nord », un rôle à la mesure de ses ambitions. Il y publie en toute liberté *Le Siècle de Louis XIV* et *Micromégas*. Mais très vite il a l'impression d'être en situation de dépendance. Brouillé avec l'entourage du roi de Prusse, il sollicite un congé en 1753 et ne sort de Francfort qu'après un épisode humiliant où il est retenu prisonnier du 1er mai au 6 juillet et doit rendre des papiers du roi qu'il avait emportés. Toujours indésirable en France, il se trouve contraint de chercher un asile. Comme il a toujours su gérer au mieux son argent, il possède sans doute la plus grosse fortune qu'un homme de lettres de ce temps-là ait jamais su réunir.

« LE PARADIS TERRESTRE EST OÙ JE SUIS »[1]

Il s'installe à la frontière suisse. En 1758, il peut écrire :

« J'ai quatre pattes au lieu de deux : un pied à Lausanne, dans une très belle maison d'hiver ; un pied aux Délices près de Genève, où la bonne compagnie vient me voir : voilà pour les pieds de devant. Ceux de derrière sont à Ferney et dans le comté de Tournay ». En 1765, il se replie sur Ferney, dont il devient le patriarche. Il est en effet au centre d'une cour où les visiteurs se pressent – il est de bon ton pour l'élite de la société européenne d'avoir fait le voyage de Ferney. Voltaire écrit, travaille, fait campagne dans l'affaire Calas, correspond avec l'Europe entière,

1. Dernier vers du poème *Le Mondain*, 1736, dont la première version était : « Le paradis terrestre est à Paris ».

embellit les lieux, améliore le commerce du pays de Gex, se montre infatigable en tout. Non seulement sa production littéraire est énorme (voir p. 169), mais il pourra dire fièrement :

« J'ai fait un peu de bien, c'est mon meilleur ouvrage ».

Il ne quittera les lieux qu'en 1778 pour Paris, qui lui fait un accueil triomphal, et où il meurt le 30 mai. Ses restes seront transférés au Panthéon en 1791.

LA NAISSANCE DE *MICROMÉGAS* ET DE *L'INGÉNU*

Les naissances comparées de ces deux textes invitent à réfléchir sur l'importance des conditions de publication et de genèse des œuvres, et par là, sur la fonction même de l'histoire littéraire.

Micromégas, *Histoire philosophique*, est publié alors que Voltaire séjourne en Prusse, en 1752, entre les deux contes majeurs que sont *Zadig* et *Candide*. L'œuvre paraît sous le nom de Voltaire, ouvertement et même en fanfare. Pourtant rien ne semble bien cohérent. On y lit une sorte de glorification du progrès scientifique, tout à la louange de Maupertuis et de son expédition (voir p. 37). Or, en 1752, à Berlin, Voltaire se brouille gravement avec le même Maupertuis, provoquant la mauvaise humeur de Frédéric II. L'histoire serait donc très différente : l'œuvre pourrait remonter à 1739, car elle reprend, avec quelques variantes, un texte perdu, le *Voyage du baron de Gangan*, adressé en avril-juin de cette année-là à Frédéric II. Ce « cadeau » fait au roi ne lui serait remis qu'en 1752. Cet écart dans les dates est fondamental car *Micromégas* serait alors l'un des premiers essais de Voltaire dans le genre du « conte-roman », dont il ne maîtriserait pas encore parfaitement les techniques, et qui notamment reste assez proche du conte merveilleux ou fantastique. Comme Voltaire écrit toujours avec une thèse cachée (voir p. 170), c'est ici de la défense et de la célébration de Newton qu'il est question. Voltaire publie précisément *Les Éléments de la philosophie de Newton* en 1738.

L'Ingénu, Histoire véritable, en revanche, publié en 1767, vient après *Candide* qui semble marquer la prise de conscience du genre et de ses possibilités ; d'ailleurs le titre fait ouvertement référence à ce grand succès et prétend s'inscrire dans la même tradition. Comme Candide après son séjour américain, le Huron découvre la France et porte sur elle un regard sans préjugés, et donc critique. Deux caractères permettent de classer l'œuvre avec les plus célèbres « contes-romans » : la part d'historicité et le caractère clandestin de la publication.

Il existe une esquisse de *L'Ingénu*, retrouvée dans les papiers de Voltaire à Saint-Pétersbourg : elle permet, par comparaison, de mesurer les principaux enjeux du texte. Comme le veut le genre de l'histoire véritable, Voltaire s'y livre à un savant jeu de cache-cache avec la réalité (voir p. 171) :

« Histoire de l'Ingénu, élevé chez les sauvages puis chez les Anglais, instruit dans la religion en Basse-Bretagne, tonsuré, confessé, se battant avec son confesseur, son voyage à Versailles chez frère Le Tellier son parent, volontaire deux campagnes, sa force extraordinaire. Son courage, veut être cap[itaine] de cav[alerie], étonné du refus. Se marie, ne veut pas que le m[ariage] soit un sacrement, trouve très bon que sa femme soit infidèle parce qu'il l'a été. Meurt en défendant son pays, un capitaine anglais l'assiste à sa mort avec un jésuite et un janséniste, il les instruit en mourant ».

Mais surtout, *L'Ingénu* est une nouvelle fois publié sans nom d'auteur, tandis que Voltaire se livre à ses habituelles pirouettes de désinformation, dont voici deux échantillons. Dans une lettre du 3 août 1767, à d'Alembert :

« Il faut que je vous dise ingénument, mon cher philosophe, qu'il n'y a point d'*Ingénu*, que c'est un être de raison ; je l'ai fait chercher à Genève et en Hollande ; ce sera peut-être quelque ouvrage comme *Le Compère Matthieu*. L'ami *Cogé pecus* fait apparemment courir ces bruits-là qui ne rendent pas sa cause meilleure. Vous voyez l'acharnement de ces honnêtes gens : leur ressource ordinaire est d'imputer aux gens des *Ingénus* pour les rendre suspects d'hérésie, et malheureusement le public les seconde ; car s'il paraît quelque brochure avec deux ou trois grains de sel, même du gros sel, tout le monde dit : "C'est lui, je le reconnais, voilà son style ; il mourra sans sa peau comme il a vécu." Quoi qu'il en soit, il n'y a point d'*Ingénu*, je n'ai point fait *L'Ingénu*, je ne l'aurai jamais fait ; j'ai l'innocence de la colombe, et je veux avoir la prudence du serpent. »

Et dans une autre, du 22 août 1767, à Damilaville :

« Je sais, Monsieur, que vous vous amusez quelquefois de littérature. J'ai fait chercher *L'Ingénu* pour vous l'envoyer et j'espère que vous le recevrez incessamment. C'est une plaisanterie assez innocente d'un moine défroqué, nommé Laurent, auteur du *Compère Matthieu*. »

Tous les ingrédients sont réunis pour à la fois nier et affirmer sa paternité.

Voltaire portant un bonnet, dessin de Jean Huber (1721-1786).
(Musée d'Art et d'Histoire, Genève.)

Micromégas

VOLTAIRE

histoire philosophique

Chapitre premier

Voyage d'un habitant du monde de l'étoile Sirius dans la planète Saturne.

Dans une de ces planètes qui tournent autour de l'étoile nommée Sirius[1], il y avait un jeune homme de beaucoup d'esprit, que j'ai eu l'honneur de connaître dans le dernier voyage qu'il fit sur notre petite fourmilière ; il s'appelait
5 Micromégas[2], nom qui convient fort à tous les grands. Il avait huit lieues de haut : j'entends, par huit lieues, vingt-quatre mille pas géométriques de cinq pieds chacun.

Quelques algébristes, gens toujours utiles au public, prendront sur-le-champ la plume, et trouveront que, puisque
10 monsieur Micromégas, habitant du pays de Sirius, a de la tête aux pieds vingt-quatre mille pas, qui font cent vingt mille pieds de roi[3], et que nous autres, citoyens de la terre, nous n'avons guère que cinq pieds, et que notre globe a neuf mille lieues de tour ; ils trouveront, dis-je, qu'il faut absolu-
15 ment que le globe qui l'a produit ait au juste vingt et un millions six cent mille fois plus de circonférence que notre petite terre. Rien n'est plus simple et plus ordinaire dans la nature. Les États de quelques souverains d'Allemagne ou d'Italie, dont on peut faire le tour en une demi-heure,
20 comparés à l'empire de Turquie, de Moscovie ou de la Chine, ne sont qu'une très faible image des prodigieuses différences que la nature a mises dans tous les êtres.

La taille de Son Excellence étant de la hauteur que j'ai dite, tous nos sculpteurs et tous nos peintres conviendront
25 sans peine que sa ceinture peut avoir cinquante mille pieds de roi de tour ; ce qui fait une très jolie proportion.

---

1. **Sirius :** étoile de la constellation du Chien, la plus brillante du ciel.
2. En grec : *micros* signifie « petit », *mégas* « grand » ; le nom signifie donc littéralement « petit-grand ».
3. À titre indicatif, 1 lieue (de dimension très variable) = ici 4 860 m ; 1 pied de roi = 0,324 m (12 pouces) ; 1 pas géométrique = 1,62 m (5 pieds) ; 1 toise = 1,949 m.

Quant à son esprit, c'est un des plus cultivés que nous ayons ; il sait beaucoup de choses, il en a inventé quelques-unes ; il n'avait pas encore deux cent cinquante ans, et
30 étudiait, selon la coutume, au collège des jésuites de sa planète, lorsqu'il devina, par la force de son esprit, plus de cinquante propositions d'Euclide[1]. C'est dix-huit de plus que Blaise Pascal[2] lequel, après en avoir deviné trente-deux en se jouant, à ce que dit sa sœur[3], devint depuis un
35 géomètre assez médiocre et un fort mauvais métaphysicien. Vers les quatre cent cinquante ans, au sortir de l'enfance, il disséqua beaucoup de ces petits insectes[4] qui n'ont pas cent pieds de diamètre, et qui se dérobent aux microscopes ordinaires ; il en composa un livre fort curieux, mais qui lui fit
40 quelques affaires. Le muphti[5] de son pays, grand vétillard[6] et fort ignorant, trouva dans son livre des propositions[7] suspectes, malsonnantes[8], téméraires, hérétiques, sentant l'hérésie, et le poursuivit vivement : il s'agissait de savoir si la forme substantielle[9] des puces de Sirius était de même nature que
45 celle des colimaçons. Micromégas se défendit avec esprit ; il mit les femmes de son côté ; le procès dura deux cent vingt ans. Enfin le muphti fit condamner le livre par des jurisconsultes[10] qui ne l'avaient pas lu, et l'auteur eut ordre de ne paraître à la cour de huit cents années.

1. **Euclide :** mathématicien grec du IIIe siècle av. J.-C.
2. **Blaise Pascal :** savant et écrivain français du XVIIe siècle (voir p. 224).
3. Gilberte Périer, qui écrivit une *Vie* de son frère.
4. La classification des animaux n'étant pas encore constituée comme la nôtre, le mot *insecte* sert à désigner non seulement ce que nous appelons de ce nom mais aussi les grenouilles, lézards et serpents.
5. **Muphti** (ou **mufti**) : chef de la religion mahométane.
6. Ou plutôt « vétilleux » : qui demande qu'on ait soin des moindres choses.
7. **Proposition :** toute idée que l'on avance.
8. **Malsonnant :** qui choque, qui répugne ; se dit, en théologie, des propositions condamnées.
9. Dans l'ancienne philosophie, les formes substantielles sont « l'ensemble des qualités d'un être, ce qui détermine la matière à être une certaine chose » (Littré).
10. **Jurisconsulte :** homme de loi.

50 Il ne fut que médiocrement affligé d'être banni d'une cour qui n'était remplie que de tracasseries et de petitesses[1]. Il fit une chanson fort plaisante contre le muphti, dont celui-ci ne s'embarrassa guère ; et il se mit à voyager de planète en planète, pour achever de se former *l'esprit et le cœur*, comme 55 l'on dit[2]. Ceux qui ne voyagent qu'en chaise de poste ou en berline seront sans doute étonnés des équipages de là-haut : car nous autres, sur notre petit tas de boue, nous ne concevons rien au-delà de nos usages. Notre voyageur connaissait merveilleusement les lois de la gravitation[3], et toutes les 60 forces attractives et répulsives[4]. Il s'en servait si à propos que, tantôt à l'aide d'un rayon du soleil, tantôt par la commodité d'une comète, il allait de globe en globe, lui et les siens[5], comme un oiseau voltige de branche en branche. Il parcourut la Voie lactée en peu de temps ; et je suis obligé d'avouer 65 qu'il ne vit jamais, à travers les étoiles dont elle est semée, ce beau ciel empyrée[6] que l'illustre vicaire Derham[7] se vante d'avoir vu au bout de sa lunette. Ce n'est pas que je prétende que M. Derham ait mal vu, à Dieu ne plaise ! mais Micromégas était sur les lieux, c'est un bon observateur et je ne 70 veux contredire personne. Micromégas, après avoir bien tourné, arriva dans le globe de Saturne. Quelque accoutumé qu'il fût à voir des choses nouvelles, il ne put d'abord, en voyant la petitesse du globe et de ses habitants, se défendre de ce sourire de supériorité qui échappe quelquefois aux plus 75 sages. Car enfin Saturne n'est guère que neuf cents fois plus gros que la terre, et les citoyens de ce pays-là sont des nains qui n'ont que mille toises de haut ou environ. Il s'en moqua

1. **Petitesses :** au figuré signifie *bassesses.*
2. Voltaire ridiculise souvent cette expression qui vient du titre d'un ouvrage de Rollin : *De la manière d'enseigner les belles-lettres, par rapport à l'esprit et au cœur* (1726-1728).
3. **Gravitation :** action de tendre, peser vers un point. La théorie de l'attraction universelle avait été conçue et formulée par Newton, de 1665 à 1687.
4. **Répulsives :** qui repoussent.
5. **Les siens :** sa suite.
6. **Empyrée :** se dit du ciel le plus élevé, du séjour des bienheureux.
7. **Derham :** écrivain anglais, auteur d'une *Astro-théologie* (1715).

SITUER

Le titre et le sous-titre préparent le lecteur à entrer dans l'œuvre ; tout se joue cependant dans le rapport entre ces préliminaires et le début de la narration.

RÉFLÉCHIR

QUI PARLE ? QUI VOIT ? Le récit à la première personne

1. Y a-t-il ou non contradiction entre le sous-titre et le début du récit qui se fait à la première personne ? Quelles sont exactement les attentes du lecteur après les premières lignes du texte ? Quel genre de « philosophe » vous paraît être le narrateur* ?

2. Nous attendons-nous à lire un texte de pure imagination ? Quels sont les indices semés çà et là qui devraient nous éclairer ?

3. Le discours du muphti (l. 40 à 45) est suggéré en quelques mots : donnez-en les principales caractéristiques. Pourquoi le sujet des recherches de Micromégas n'est-il donné qu'après l'exposé de la condamnation ? Que faut-il penser de ce sujet ? Pourquoi est-il tant question d'« insectes » dans ces pages ?

PERSONNAGES : pourquoi le mot « géant » n'est pas prononcé

4. Le nom du personnage est commenté et expliqué. Comment le comprenez-vous et qu'en attendez-vous ?

5. Quels sont les traits de caractère de Micromégas qui sont relevés dans ce chapitre ?

THÈMES : qu'est-ce qu'un nain ?

6. Le portrait physique est chiffré. Avons-nous le désir de vérifier les chiffres ? À quoi servent-ils vraiment ? Quelle est l'opération à laquelle on se livre dans le deuxième paragraphe ?

7. Ces chiffres eux-mêmes donnent lieu à deux développements distincts : Micromégas est décrit pour les géomètres d'une part, pour les peintres de l'autre. Que signifient ces deux points de vue différents ?

8. La présentation de Saturne vient encore compliquer les choses. De quel point de vue est décrite cette planète ? Pourquoi ?

STRATÉGIES : des comparaisons éclairantes

9. La disproportion est la même entre certains États d'Allemagne ou d'Italie et les empires turcs, moscovites ou chinois, qu'entre la Terre et Sirius. Le cas choisi par Voltaire est-il pris au hasard ? Sinon, quelle peut être la leçon secondaire qu'il veut nous donner ?

10. Étudiez l'ensemble des comparaisons utilisées dans le texte. Quelles sont leurs caractéristiques communes ?

---

* Les définitions des mots suivis d'un astérisque figurent p. 226-227.

un peu d'abord avec ses gens, à peu près comme un musicien italien se met à rire de la musique de Lulli[1] quand il
80 vient en France. Mais, comme le Sirien avait un bon esprit, il comprit bien vite qu'un être pensant peut fort bien n'être pas ridicule pour n'avoir que six mille pieds de haut. Il se familiarisa avec les Saturniens, après les avoir étonnés. Il lia une étroite amitié avec le secrétaire de l'Académie de
85 Saturne, homme de beaucoup d'esprit, qui n'avait à la vérité rien inventé, mais qui rendait un fort bon compte des inventions des autres, et qui faisait passablement de petits vers et de grands calculs. Je rapporterai ici, pour la satisfaction des lecteurs, une conversation singulière que Micromégas eut un
90 jour avec monsieur le secrétaire.

CHAPITRE II

CONVERSATION DE L'HABITANT DE SIRIUS AVEC CELUI DE SATURNE.

Après que Son Excellence se fut couchée, et que le secrétaire se fut approché de son visage : « Il faut avouer, dit Micromégas, que la nature est bien variée. — Oui, dit le Saturnien, la nature est comme un parterre dont les fleurs…
5 — Ah ! dit l'autre, laissez là votre parterre. — Elle est, reprit le secrétaire, comme une assemblée de blondes et de brunes, dont les parures… — Et qu'ai-je à faire de vos brunes ? dit l'autre. — Elle est donc comme une galerie de peintures dont les traits… — Eh non ! dit le voyageur, encore une fois,
10 la nature est comme la nature. Pourquoi lui chercher des comparaisons ? — Pour vous plaire, répondit le secrétaire. — Je ne veux point qu'on me plaise, répondit le voyageur, je veux qu'on m'instruise ; commencez d'abord par me dire combien les hommes de votre globe ont de sens. — Nous en

1. **Lulli** (ou Lully) : compositeur français d'origine italienne, musicien de Louis XIV (voir p. 224).

avons soixante et douze, dit l'académicien ; et nous nous plaignons tous les jours du peu. Notre imagination va au-delà de nos besoins ; nous trouvons qu'avec nos soixante et douze sens, notre anneau, nos cinq lunes, nous sommes trop bornés ; et, malgré toute notre curiosité et le nombre assez grand de passions qui résultent de nos soixante et douze sens, nous avons tout le temps de nous ennuyer. — Je le crois bien, dit Micromégas ; car dans notre globe nous avons près de mille sens, et il nous reste encore je ne sais quel désir vague, je ne sais quelle inquiétude, qui nous avertit sans cesse que nous sommes peu de chose, et qu'il y a des êtres beaucoup plus parfaits. J'ai un peu voyagé ; j'ai vu des mortels fort au-dessous de nous ; j'en ai vu de fort supérieurs ; mais je n'en ai vu aucuns[1] qui n'aient plus de désirs que de vrais besoins, et plus de besoins que de satisfaction. J'arriverai peut-être un jour au pays où il ne manque rien ; mais jusqu'à présent personne ne m'a donné de nouvelles positives de ce pays-là. » Le Saturnien et le Sirien s'épuisèrent alors en conjectures[2] ; mais, après beaucoup de raisonnements, fort ingénieux et fort incertains, il en fallut revenir aux faits. « Combien de temps vivez-vous ? dit le Sirien. — Ah ! bien peu, répliqua le petit homme de Saturne. — C'est tout comme chez nous, dit le Sirien ; nous nous plaignons toujours du peu. Il faut que ce soit une loi universelle de la nature. — Hélas ! nous ne vivons, dit le Saturnien, que cinq cents grandes révolutions du soleil. (Cela revient à quinze mille ans ou environ, à compter à notre manière.) Vous voyez bien que c'est mourir presque au moment que l'on est né ; notre existence est un point, notre durée un instant, notre globe un atome[3]. À peine a-t-on commencé à s'instruire un peu que la mort arrive avant qu'on ait de l'expérience. Pour moi, je n'ose faire aucuns projets ; je me trouve comme une goutte d'eau dans un océan immense. Je

1. **Aucuns** s'emploie couramment au pluriel dans la langue du XVIIe et du XVIIIe siècle.
2. **Conjectures :** suppositions.
3. Voir p. 202 le texte de Pascal.

suis honteux, surtout devant vous, de la figure ridicule que je fais dans ce monde. »

50 Micromégas lui repartit : « Si vous n'étiez pas philosophe, je craindrais de vous affliger en vous apprenant que notre vie est sept cents fois plus longue que la vôtre ; mais vous savez trop bien que quand il faut rendre son corps aux éléments et ranimer la nature sous une autre forme, ce qui s'appelle mourir ; 55 quand ce moment de métamorphose est venu, avoir vécu une éternité, ou avoir vécu un jour, c'est précisément la même chose. J'ai été dans des pays où l'on vit mille fois plus longtemps que chez moi, et j'ai trouvé qu'on y murmurait encore. Mais il y a partout des gens de bon sens qui savent prendre leur 60 parti et remercier l'auteur de la nature. Il a répandu sur cet univers une profusion de variétés, avec une espèce d'uniformité admirable. Par exemple, tous les êtres pensants sont différents, et tous se ressemblent au fond par le don de la pensée et des désirs. La matière est partout étendue ; mais elle a dans chaque 65 globe des propriétés diverses. Combien comptez-vous de ces propriétés diverses dans votre matière ? — Si vous parlez de ces propriétés, dit le Saturnien, sans lesquelles nous croyons que ce globe ne pourrait subsister tel qu'il est, nous en comptons trois cents, comme l'étendue, l'impénétrabilité, la mobilité, la gravi- 70 tation, la divisibilité, et le reste[1]. — Apparemment, répliqua le voyageur, que ce petit nombre suffit aux vues que le Créateur avait sur votre petite habitation[2]. J'admire en tout sa sagesse ; je vois partout des différences, mais aussi partout des proportions. Votre globe est petit, vos habitants le sont aussi ; vous 75 avez peu de sensations ; votre matière a peu de propriétés ; tout cela est l'ouvrage de la Providence. De quelle couleur est votre soleil, bien examiné ? — D'un blanc fort jaunâtre, dit le Saturnien ; et quand nous divisons un de ses rayons, nous trouvons qu'il contient sept couleurs. — Notre soleil tire sur le rouge, 80 dit le Sirien, et nous avons trente-neuf couleurs primitives.

---

1. Échos de la philosophie d'Aristote : le sujet ne peut être connu que par ses attributs, comme ceux qui sont cités ici.
2. **Habitation :** lieu où vous vivez.

SITUER

Premier épisode du voyage philosophique, la rencontre et le dialogue entre Micromégas et un nain saturnien. L'œuvre est donc conçue comme un système d'emboîtements.

RÉFLÉCHIR

STRUCTURE : le modèle de Swift

1. Alors que Swift (voir p. 204) se contente d'opposer simplement le grand et le petit, tout se trouve ici délibérément compliqué. Par quels moyens ? Quelles sont les intentions de Voltaire dans ce raffinement de la fable ?

STRATÉGIES : les interventions du narrateur

2. Aucun obstacle ne vient empêcher la communication entre Micromégas et le Saturnien : qu'en déduisez-vous ?

3. Quand et pourquoi le narrateur intervient-il directement ?

4. On a souvent l'impression que ce sont les hommes eux-mêmes qui s'expriment ici. Quelles sont les plaintes qui nous paraissent humaines ? Dressez-en la liste. Relevez un passage qui donne les raisons de ces analogies.

5. Les propos de Micromégas sont-ils les mêmes que ceux du Saturnien ? Quels enseignements faut-il tirer des différences entre les deux interlocuteurs ?

THÈMES : la nature

6. Pourquoi le Sirien refuse-t-il les comparaisons ? Voltaire n'en a-t-il pas utilisé dans le texte jusqu'ici ? Que signifie cette contradiction ?

7. Quelles définitions de la nature et de la vie le texte propose-t-il ? Ces définitions sont-elles nouvelles ? Peuvent-elles choquer ?

8. Quels sont les rapports établis par Micromégas entre les sens, les passions et l'insatisfaction ? Comment pourriez-vous caractériser son système ?

REGISTRES ET TONALITÉS : la satire* masquée

9. Les deux voyageurs utilisent beaucoup de concepts philosophiques archaïques (propriétés, substances) que Voltaire veut ridiculiser. Quels sont les procédés de la dérision utilisés ?

10. Il est précisé (l. 26 à 28) : « j'ai vu des mortels fort au-dessous de nous ; j'en ai vu de fort supérieurs ». Quelle est donc la cible invisible de Voltaire ?

Il n'y a pas un soleil, parmi tous ceux dont j'ai approché, qui se ressemble, comme chez vous il n'y a pas un visage qui ne soit différent de tous les autres. »

Après plusieurs questions de cette nature, il s'informa combien de substances essentiellement différentes on comptait dans Saturne. Il apprit qu'on n'en comptait qu'une trentaine, comme Dieu, l'espace, la matière, les êtres étendus qui sentent, les êtres étendus qui sentent et qui pensent, les êtres pensants qui n'ont point d'étendue, ceux qui se pénètrent, ceux qui ne se pénètrent pas, et le reste[1]. Le Sirien, chez qui on en comptait trois cents, et qui en avait découvert trois mille autres dans ses voyages, étonna prodigieusement le philosophe de Saturne. Enfin, après s'être communiqué l'un à l'autre un peu de ce qu'ils savaient et beaucoup de ce qu'ils ne savaient pas, après avoir raisonné pendant une révolution du soleil, ils résolurent de faire ensemble un petit voyage philosophique.

CHAPITRE III

VOYAGE DES DEUX HABITANTS DE SIRIUS ET DE SATURNE.

Nos deux philosophes étaient prêts à s'embarquer dans l'atmosphère de Saturne, avec une fort jolie provision d'instruments mathématiques, lorsque la maîtresse du Saturnien, qui en eut des nouvelles, vint en larmes faire ses remontrances. C'était une jolie petite brune qui n'avait que six cent soixante toises, mais qui réparait par bien des agréments la petitesse de sa taille. « Ah ! cruel ! s'écria-t-elle, après t'avoir résisté quinze cents ans, lorsque enfin je commençais à me rendre, quand j'ai à peine passé deux cents

1. Échos de la philosophie d'Aristote, revue par Descartes, qui ramenait les attributs à deux seulement : la pensée et l'étendue (les animaux ont l'étendue et non la pensée ; l'homme a l'étendue et la pensée ; l'âme a la pensée et non l'étendue...).

ans entre tes bras, tu me quittes pour aller voyager avec un géant d'un autre monde ; va, tu n'es qu'un curieux, tu n'as jamais eu d'amour ; si tu étais un vrai Saturnien, tu serais fidèle. Où vas-tu courir ? Que veux-tu ? Nos cinq lunes sont moins errantes que toi, notre anneau est moins changeant. Voilà qui est fait, je n'aimerai jamais plus personne. » Le philosophe l'embrassa, pleura avec elle, tout philosophe qu'il était, et la dame, après s'être pâmée, alla se consoler avec un petit-maître[1] du pays.

Cependant nos deux curieux partirent ; ils sautèrent d'abord sur l'anneau, qu'ils trouvèrent assez plat, comme l'a fort bien deviné un illustre habitant de notre petit globe[2] ; de là ils allèrent aisément de lune en lune. Une comète passait tout auprès de la dernière ; ils s'élancèrent sur elle avec leurs domestiques et leurs instruments. Quand ils eurent fait environ cent cinquante millions de lieues, ils rencontrèrent les satellites de Jupiter. Ils passèrent dans Jupiter même, et y restèrent une année, pendant laquelle ils apprirent de fort beaux secrets qui seraient actuellement sous presse sans messieurs les inquisiteurs, qui ont trouvé quelques propositions un peu dures. Mais j'en ai lu le manuscrit dans la bibliothèque de l'illustre archevêque de ..., qui m'a laissé voir ses livres avec cette générosité et cette bonté qu'on ne saurait assez louer.

Mais revenons à nos voyageurs. En sortant de Jupiter, ils traversèrent un espace d'environ cent millions de lieues, et ils côtoyèrent la planète de Mars, qui, comme on sait, est cinq fois plus petite que notre petit globe ; ils virent deux lunes qui servent à cette planète, et qui ont échappé aux regards de nos astronomes. Je sais bien que le père Castel[3] écrira, et même assez plaisamment, contre l'existence de ces deux lunes ; mais je m'en rapporte à ceux qui raisonnent par analogie. Ces bons philosophes-là savent combien il serait

1. **Petit-maître :** jeune homme vaniteux.
2. Allusion à l'astronome hollandais Huygens.
3. **Le père Castel :** savant jésuite.

SITUER

Le voyage est maintenant entrepris : en quoi sera-t-il « philosophique » ?

RÉFLÉCHIR

GENRES : le conte, une chambre d'écho

1. Le chapitre commence avec une scène qui fait intervenir un des rares personnages féminins du texte. Quelle est la signification de cet épisode ? En quoi est-il parodique ?

2. Le chapitre se clôt sur une indication de date, qui permet une allusion à des faits contemporains (voir p. 170). Que pensez-vous de la place occupée par cette indication ? Déduisez-en l'importance qu'il convient de lui accorder.

QUI PARLE ? QUI VOIT ? Les allusions historiques

3. Pourquoi certains noms sont-ils en clair et les autres non ? Quel retentissement et quelle portée ces deux traitements différents donnent-ils à l'épisode ?

4. Inversement, le narrateur anonyme intervient parfois directement et se joue de la chronologie : quel est le but de ce brouillage temporel ?

STRATÉGIES : la liberté de pensée

5. Une fois encore, des entraves sont mises à la publication de textes scientifiques. En quoi cela se rattache-t-il aux expériences de Voltaire (voir p. 167-169) et quelles leçons veut-il que nous en tirions ?

6. Des comparaisons développées sont à nouveau mises en place, pour mieux marquer les changements d'échelle. Le comparant* n'est peut-être pas choisi au hasard : quelles sont ses justifications ?

7. Étudiez les échos que se font les mots « petit, petitesse » et aussi « curieux ». Quel est le but de ces reprises ?

THÈMES : tout est relatif

8. Les rapports du grand et du petit concernent non seulement les personnages, mais aussi les étapes qu'ils font. Quel est le sort réservé à la Terre dans tout cela ?

9. Comment les héros vont-ils finalement aboutir sur la Terre ? Cela résulte-t-il d'un choix ? du hasard ? ou d'un autre motif encore ? Pour quelle signification ?

ÉCRIRE

10. Décrivez un objet ordinaire en en transposant les dimensions soit dans le gigantesque, soit dans le minuscule.

difficile que Mars, qui est si loin du soleil, se passât à moins de deux lunes[1]. Quoi qu'il en soit, nos gens trouvèrent cela
45 si petit qu'ils craignirent de n'y pas trouver de quoi coucher, et ils passèrent leur chemin, comme deux voyageurs qui dédaignent un mauvais cabaret de village et poussent jusqu'à la ville voisine. Mais le Sirien et son compagnon se repentirent bientôt. Ils allèrent longtemps, et ne trouvèrent rien.
50 Enfin ils aperçurent une petite lueur ; c'était la terre : cela fit pitié à des gens qui venaient de Jupiter. Cependant, de peur de se repentir une seconde fois, ils résolurent de débarquer. Ils passèrent sur la queue de la comète et, trouvant une aurore boréale toute prête, ils se mirent dedans, et arrivèrent
55 à terre sur le bord septentrional de la mer Baltique, le cinq juillet mil sept cent trente-sept, nouveau style[2].

CHAPITRE IV

CE QUI LEUR ARRIVE SUR LE GLOBE DE LA TERRE.

Après s'être reposés quelque temps, ils mangèrent à leur déjeuner deux montagnes que leurs gens leur apprêtèrent assez proprement[3]. Ensuite ils voulurent reconnaître[4] le petit pays où ils étaient. Ils allèrent d'abord du nord au sud. Les
5 pas ordinaires du Sirien et de ses gens étaient d'environ trente mille pieds de roi ; le nain de Saturne suivait de loin en haletant ; or il fallait qu'il fît environ douze pas, quand l'autre faisait une enjambée : figurez-vous (s'il est permis de

1. Il lui faut au moins deux lunes.
2. Le calendrier a dû être réformé en 1582 ; pour la période charnière, il fallait donc indiquer si la date était en ancien ou nouveau style ; ici ce n'est plus qu'une plaisanterie.
3. **Que leurs gens... assez proprement :** que leurs domestiques... assez convenablement.
4. **Reconnaître :** apprendre à connaître *(cf. partir en reconnaissance)*.

faire de telles comparaisons) un très petit chien de manchon
10 qui suivrait un capitaine des gardes du roi de Prusse.

Comme ces étrangers-là vont assez vite, ils eurent fait le tour du globe en trente-six heures ; le soleil, à la vérité, ou plutôt la terre, fait un pareil voyage en une journée ; mais il faut songer qu'on va bien plus à son aise quand on tourne
15 sur son axe que quand on marche sur ses pieds. Les voilà donc revenus d'où ils étaient partis, après avoir vu cette mare, presque imperceptible pour eux, qu'on nomme *la Méditerranée*, et cet autre petit étang, qui, sous le nom du *grand Océan*[1], entoure la taupinière. Le nain n'en avait eu
20 jamais qu'à mi-jambe, et à peine l'autre avait-il mouillé son talon. Ils firent tout ce qu'ils purent en allant et en revenant dessus et dessous pour tâcher d'apercevoir si ce globe était habité ou non. Ils se baissèrent, ils se couchèrent, ils tâtèrent partout ; mais, leurs yeux et leurs mains n'étant point
25 proportionnés aux petits êtres qui rampent ici, ils ne reçurent pas la moindre sensation qui pût leur faire soupçonner que nous et nos confrères les autres habitants de ce globe avons l'honneur d'exister.

Le nain, qui jugeait quelquefois un peu trop vite, décida
30 d'abord qu'il n'y avait personne sur la terre. Sa première raison était qu'il n'avait vu personne. Micromégas lui fit sentir poliment que c'était raisonner assez mal : « Car, disait-il, vous ne voyez pas avec vos petits yeux certaines étoiles de la cinquantième grandeur que j'aperçois très distinctement ;
35 concluez-vous de là que ces étoiles n'existent pas ? — Mais, dit le nain, j'ai bien tâté. — Mais, répondit l'autre, vous avez mal senti. — Mais, dit le nain, ce globe-ci est si mal construit, cela est si irrégulier et d'une forme qui me paraît si ridicule ! tout semble être ici dans le chaos : voyez-vous ces
40 petits ruisseaux dont aucun ne va de droit fil[2], ces étangs qui ne sont ni ronds, ni carrés, ni ovales, ni sous aucune forme

1. On désigne ainsi l'ensemble des océans dont les parties s'appellent Atlantique, Pacifique, Indien…
2. **De droit fil :** de manière rectiligne.

régulière ; tous ces petits grains pointus dont ce globe est hérissé, et qui m'ont écorché les pieds ? (Il voulait parler des montagnes.) Remarquez-vous encore la forme de tout le
45 globe, comme il est plat aux pôles, comme il tourne autour du soleil d'une manière gauche, de façon que les climats des pôles sont nécessairement incultes ? En vérité, ce qui fait que je pense qu'il n'y a ici personne, c'est qu'il me paraît que des gens de bon sens ne voudraient pas y demeurer. — Eh bien !
50 dit Micromégas, ce ne sont peut-être pas non plus des gens de bon sens qui l'habitent. Mais enfin il y a quelque apparence que ceci n'est pas fait pour rien. Tout vous paraît irrégulier ici, dites-vous, parce que tout est tiré au cordeau[1] dans Saturne et dans Jupiter. Eh ! c'est peut-être par cette raison-
55 là même qu'il y a ici un peu de confusion. Ne vous ai-je pas dit que dans mes voyages j'avais toujours remarqué de la variété ? » Le Saturnien répliqua à toutes ces raisons. La dispute n'eût jamais fini, si par bonheur Micromégas, en s'échauffant à parler, n'eût cassé le fil de son collier de
60 diamants. Les diamants tombèrent : c'étaient de jolis petits carats[2] assez inégaux, dont les plus gros pesaient quatre cents livres, et les plus petits cinquante. Le nain en ramassa quelques-uns ; il s'aperçut, en les approchant de ses yeux, que ces diamants, de la façon dont ils étaient taillés, étaient d'excel-
65 lents microscopes. Il prit donc un petit microscope de cent soixante pieds de diamètre, qu'il appliqua à sa prunelle ; et Micromégas en choisit un de deux mille cinq cents pieds. Ils étaient excellents ; mais d'abord on ne vit rien par leur secours : il fallait s'ajuster. Enfin l'habitant de Saturne vit
70 quelque chose d'imperceptible qui remuait entre deux eaux dans la mer Baltique : c'était une baleine. Il la prit avec le petit doigt fort adroitement, et, la mettant sur l'ongle de son pouce, il la fit voir au Sirien, qui se mit à rire pour la seconde fois de l'excès de petitesse dont étaient les habitants de notre

1. **Tiré au cordeau :** bien aligné. Le cordeau est un instrument de charpentier ou de jardinier.
2. **Carat :** petit diamant qu'on vend au poids ; ne pas confondre avec la mesure de poids des pierres précieuses, qui vaut 4 grains.

SITUER

L'arrivée sur la Terre s'effectue dans la déception devant pareille médiocrité.

RÉFLÉCHIR

THÈMES : de l'intérêt de voyager à deux

1. Le retour de la mesure. Les évaluations et comparaisons (chiffrées ou non) s'effectuent dans toutes les directions : essayez d'y voir clair. Quels effets en résulte-t-il ?

2. Ce sont deux conceptions de la Création qui s'opposent ici (l. 37 à 57) : exposez-les. Que cachent-elles ?

3. L'opposition des comportements des deux personnages relève-t-elle du caractère ou de l'attitude intellectuelle et scientifique ?

REGISTRES ET TONALITÉS : un observateur badin*

4. Relevez tous les traits qui manifestent la présence du narrateur. Étudiez l'ambiguïté des positions successives qu'il adopte.

5. Liée à cette présence du narrateur, la plaisanterie traverse le texte. Quels sont ses moyens et ses fonctions ?

STRATÉGIES : eurêka !

6. Quelles sont les conditions préalables à toute découverte ? Quelles sont les premières questions que se posent les observateurs ?

7. Le texte adopte l'allure générale d'une fable, et développe une leçon cachée. Que faut-il comprendre derrière :

- la découverte fortuite du « microscope » ;
- l'observation de la baleine ?

8. Comment la curiosité du lecteur se trouve-t-elle ménagée à la fin du chapitre ?

ÉCRIRE

9. Faites la critique de l'illustration de la p. 45, en soulignant notamment les erreurs de proportion.

75 globe. Le Saturnien, convaincu que notre monde est habité, s'imagina bien vite qu'il ne l'était que par des baleines ; et comme il était grand raisonneur, il voulait deviner d'où un si petit atome tirait son mouvement, s'il avait des idées, une volonté, une liberté. Micromégas y fut fort embarrassé : il 80 examina l'animal fort patiemment, et le résultat de l'examen fut qu'il n'y avait pas moyen de croire qu'une âme fût logée là. Les deux voyageurs inclinaient donc à penser qu'il n'y a point d'esprit dans notre habitation[1], lorsqu'à l'aide du microscope ils aperçurent quelque chose de plus gros qu'une 85 baleine qui flottait sur la mer Baltique. On sait que dans ce temps-là même une volée[2] de philosophes revenait du cercle polaire, sous lequel ils avaient été faire des observations dont personne ne s'était avisé jusqu'alors. Les gazettes dirent que leur vaisseau échoua aux côtes de Botnie[3], et qu'ils eurent 90 bien de la peine à se sauver ; mais on ne sait jamais dans ce monde le dessous des cartes. Je vais raconter ingénument comme la chose se passa, sans y rien mettre du mien, ce qui n'est pas un petit effort pour un historien.

Chapitre V

Expériences et raisonnements des deux voyageurs.

Micromégas étendit la main tout doucement vers l'endroit où l'objet paraissait, et, avançant deux doigts et les retirant par la crainte de se tromper, puis les ouvrant et les serrant, il saisit fort adroitement le vaisseau qui portait ces 5 messieurs et le mit encore sur son ongle, sans le trop presser, de peur de l'écraser. « Voici un animal bien différent du premier », dit le nain de Saturne ; le Sirien mit le prétendu

1. Voir p. 28 note 2.
2. **Volée :** bande d'oiseaux qui volent ensemble ; au figuré, groupe de gens de même profession ; les dictionnaires ne disent pas si cet emploi est plaisant ou péjoratif.
3. **Botnie :** golfe au nord de la mer Baltique, entre la Suède et la Finlande.

animal dans le creux de sa main. Les passagers et les gens de l'équipage, qui s'étaient crus enlevés par un ouragan, et qui
10 se croyaient sur une espèce de rocher, se mettent tous en mouvement ; les matelots prennent des tonneaux de vin, les jettent sur la main de Micromégas, et se précipitent après. Les géomètres prennent leurs quarts de cercle[1], leurs secteurs[2], et des filles lapones, et descendent sur les doigts du
15 Sirien. Ils en firent tant qu'il sentit enfin remuer quelque chose qui lui chatouillait les doigts : c'était un bâton ferré qu'on lui enfonçait d'un pied dans l'index ; il jugea, par ce picotement, qu'il était sorti quelque chose du petit animal qu'il tenait. Mais il n'en soupçonna pas d'abord davantage.
20 Le microscope, qui faisait à peine discerner une baleine et un vaisseau, n'avait point de prise[3] sur un être aussi imperceptible que des hommes. Je ne prétends choquer ici la vanité de personne, mais je suis obligé de prier les importants[4] de faire ici une petite remarque avec moi : c'est qu'en prenant la
25 taille des hommes d'environ cinq pieds, nous ne faisons pas sur la terre une plus grande figure qu'en ferait, sur une boule de dix pieds de tour, un animal qui aurait à peu près la six cent millième partie d'un pouce en hauteur. Figurez-vous une substance qui pourrait tenir la terre dans sa main, et qui
30 aurait des organes en proportion des nôtres ; et il se peut très bien faire qu'il y ait un grand nombre de ces substances : or concevez, je vous prie, ce qu'elles penseraient de ces batailles, qui nous ont valu deux villages qu'il a fallu rendre[5].

1. **Quart de cercle :** instrument de navigation qui sert à mesurer les latitudes ; il est formé, comme son nom l'indique, d'un quart de cercle, muni d'une lunette, fixe ou mobile.
2. **Secteur :** instrument d'observation astronomique, formé lui aussi d'un arc de cercle muni d'une lunette, mais cette fois l'arc n'est que de 20 ou 30°.
3. **N'avait point de prise sur :** était insuffisant pour.
4. **Les importants :** ceux qui veulent passer pour avoir du crédit, du savoir.
5. Quelle que soit la date à retenir (1737, date des événements ; 1739, date probable de rédaction du projet ; 1752, date de publication), la France est en paix et il n'y a là aucune allusion directe. C'est seulement une critique de la vanité de toutes les guerres de conquête, qui se terminent par des traités et des restitutions.

Je ne doute pas que si quelque capitaine des grands
35 grenadiers[1] lit jamais cet ouvrage, il ne hausse de deux grands pieds au moins les bonnets de sa troupe ; mais je l'avertis qu'il aura beau faire, et que lui et les siens ne seront jamais que des infiniment petits.

Quelle adresse merveilleuse ne fallut-il donc pas à notre
40 philosophe de Sirius pour apercevoir les atomes dont je viens de parler ! Quand Leeuwenhoek[2] et Hartsoeker virent les premiers, ou crurent voir, la graine dont nous sommes formés, ils ne firent pas à beaucoup près une si étonnante découverte. Quel plaisir sentit Micromégas en voyant
45 remuer ces petites machines, en examinant tous leurs tours, en les suivant dans toutes leurs opérations ! comme il s'écria ! comme il mit avec joie un de ses microscopes dans les mains de son compagnon de voyage ! « Je les vois, disaient-ils tous deux à la fois ; ne les voyez-vous pas qui
50 portent des fardeaux, qui se baissent, qui se relèvent ? » En parlant ainsi, les mains leur tremblaient, par le plaisir de voir des objets si nouveaux et par la crainte de les perdre. Le Saturnien, passant d'un excès de défiance à un excès de crédulité, crut apercevoir qu'ils travaillaient à la propagation.
55 *Ah !* disait-il, *j'ai pris la nature sur le fait.* Mais il se trompait sur les apparences, ce qui n'arrive que trop, soit qu'on se serve ou non de microscopes.

1. **Grenadiers :** soldats d'élite, chargés de lancer des grenades sur l'ennemi. Ceux de l'armée prussienne étaient célèbres pour leur haute taille, mais ils existaient aussi en France. Ils portaient des épaulettes rouges et, à partir de 1730, un bonnet à poil.
2. **Leeuwenhoek :** naturaliste hollandais, mort en 1723, qui découvrit les spermatozoïdes. – **Hartsoeker :** son associé, mort en 1725.

SITUER

En ménageant soigneusement ses effets et l'attente du lecteur, Voltaire nous conduit progressivement, avec ses deux héros, à la découverte des hommes.

RÉFLÉCHIR

STRUCTURE : la fable dans la fable

1. L'imagination de Voltaire conduit le lecteur au vertige. Étudiez de ce point de vue la progression du passage l. 22 à 38. Le calcul des proportions est-il opéré de la même manière que précédemment ? Quels sont les effets produits sur le lecteur ?

REGISTRES ET TONALITÉS : le rôle du sourire

2. Étudiez l'emploi du présent de narration dans le texte.

3. La polissonnerie : les savants de l'expédition de 1737 (voir p. 170-171) ramenèrent en effet deux Lapones. Que pensez-vous de l'utilisation que fait Voltaire de ce détail ? Par qui sont-elles emmenées ? Dans quel but ?

On retrouve un autre trait plaisant à propos de ce que croit voir le Sirien. Quelle est la fonction de ces détails ?

STRATÉGIES : désigner, comparer

4. Outre les interventions directes du narrateur, on peut observer les divers termes dont il se sert pour désigner les hommes du bateau. Quel est le sens des choix qui ont été faits ?

5. Analysez les comparaisons. À quoi sont-elles destinées ? Sur quel ton sont-elles données ?

THÈMES : le progrès

6. La joie de la découverte scientifique : comment s'exprime-t-elle ? Comment s'explique-t-elle ? Pourquoi les héros, dans leurs observations scientifiques, sont-ils appelés « philosophes » ?

7. Pourquoi le rapprochement avec la découverte des spermatozoïdes ?

8. Quelle est l'attitude des hommes ? Quelle vision de la nature humaine leurs actions donnent-elles ?

Le thème du « voyage philosophique » donne lieu à une série de variations : Micromégas est un voyageur, et il va voyager encore en compagnie du Saturnien, avant de rencontrer des Terriens eux-mêmes voyageurs. C'est cette imbrication qui contient le sens ultime du texte. Mais la rencontre avec les hommes est longuement différée : on peut s'interroger sur les fonctions de ces préliminaires.

STRATÉGIES : le relativisme et la curiosité

La subtilité de la démarche vise à procéder non dogmatiquement mais par les voies de la suggestion.

1. Quelle est la fonction du dédoublement du personnage principal en deux ? Y a-t-il vraiment deux héros ?

2. Étudiez les emplois du mot « philosophe » dans les chapitres I à III du texte. Déduisez-en une définition de ce mot.

3. Le texte vaut peut-être surtout par ce qu'il sous-entend, sans l'exprimer directement. Quels sont les motifs qui animent la curiosité des deux extraterrestres ? Que cherchent-ils à découvrir ? à comprendre ?

THÈMES : la méthode scientifique

L'enseignement caché du texte constitue un véritable discours de la méthode.

4. Quelles sont les erreurs de raisonnement que le texte condamne au passage ? Définissez la méthode scientifique exemplaire d'après ces chapitres.

5. La science : en quoi le texte joue-t-il un rôle dans la vulgarisation scientifique ? Qu'en retenons-nous sur ce plan ?

QUI PARLE ? QUI VOIT ? Le je

Le modèle narratif est compliqué par la présence peu discrète du narrateur, auquel il arrive de faire irruption dans le récit à la troisième personne.

6. Relevez les interventions directes du narrateur, à la première personne. À quoi sont-elles consacrées ?

REGISTRES ET TONALITÉS : le badinage* quand même

Les interventions plaisantes viennent rythmer et dynamiser le conte.

7. Quels sont les moyens utilisés pour soutenir l'attention du lecteur et le dérider ?

8. Rébarbatif ou amusant ? Justifiez votre point de vue.

CHAPITRE VI

CE QUI LEUR ARRIVE AVEC DES HOMMES.

Micromégas, bien meilleur observateur que son nain, vit clairement que les atomes se parlaient ; et il le fit remarquer à son compagnon, qui, honteux de s'être mépris sur l'article de la génération[1], ne voulut point que de pareilles espèces[2] pussent se communiquer des idées. Il avait le don des langues, aussi bien que le Sirien ; il n'entendait point parler nos atomes, et il supposait qu'ils ne parlaient pas. D'ailleurs, comment ces êtres imperceptibles auraient-ils les organes de la voix, et qu'auraient-ils à dire ? Pour parler, il faut penser, ou à peu près ; mais, s'ils pensaient, ils auraient donc l'équivalent d'une âme. Or, attribuer l'équivalent d'une âme à cette espèce, cela lui paraissait absurde. « Mais, dit le Sirien, vous avez cru tout à l'heure qu'ils faisaient l'amour. Est-ce que vous croyez qu'on puisse faire l'amour sans penser et sans proférer quelques paroles, ou du moins sans se faire entendre ? Supposez-vous d'ailleurs qu'ils soit plus difficile de produire un argument qu'un enfant ? Pour moi, l'un et l'autre me paraissent de grands mystères. — Je n'ose plus ni croire ni nier, dit le nain ; je n'ai plus d'opinion. Il faut tâcher d'examiner ces insectes[3], nous raisonnerons après. — C'est fort bien dit », reprit Micromégas ; et aussitôt il tira une paire de ciseaux dont il se coupa les ongles, et d'une rognure de l'ongle de son pouce il fit sur-le-champ une espèce de grande trompette parlante comme un vaste entonnoir, dont il mit le tuyau dans son oreille. La circonférence de l'entonnoir enveloppait le vaisseau et tout l'équipage. La voix la plus faible entrait dans les fibres circulaires de l'ongle ; de sorte que, grâce à son industrie[4] le philosophe de

1. **L'article de la génération :** la question de la procréation (humaine).
2. **Espèces :** se dit aussi des personnes en se moquant ; « c'est une pauvre espèce d'homme » ou, absolument, « c'est une espèce ».
3. Voir p. 23 note 4.
4. **Industrie :** dextérité, adresse.

là-haut entendit parfaitement le bourdonnement de nos
30 insectes de là-bas. En peu d'heures il parvint à distinguer les paroles, et enfin à entendre le français. Le nain en fit autant, quoique avec plus de difficulté. L'étonnement des voyageurs redoublait à chaque instant. Ils entendaient des mites parler d'assez bon sens : ce jeu de la nature leur paraissait inexpli-
35 cable. Vous croyez bien que le Sirien et son nain brûlaient d'impatience de lier conversation avec les atomes : il craignait que sa voix de tonnerre, et surtout celle de Micromégas, n'assourdît les mites sans en être entendue. Il fallait en diminuer la force. Ils se mirent dans la bouche des espèces de
40 petits cure-dents, dont le bout fort effilé venait donner[1] auprès du vaisseau. Le Sirien tenait le nain sur ses genoux, et le vaisseau avec l'équipage sur un ongle ; il baissait la tête et parlait bas. Enfin, moyennant toutes ces précautions et bien d'autres encore, il commença ainsi son discours :

45 « Insectes invisibles, que la main du Créateur s'est plu à faire naître dans l'abîme de l'infiniment petit, je le remercie de ce qu'il a daigné me découvrir des secrets qui semblaient impénétrables. Peut-être ne daignerait-on pas vous regarder à ma cour ; mais je ne méprise personne, et je vous offre ma
50 protection. »

Si jamais il y a eu quelqu'un d'étonné, ce furent les gens qui entendirent ces paroles. Ils ne pouvaient deviner d'où elles partaient. L'aumônier du vaisseau récita les prières des exorcismes[2], les matelots jurèrent, et les philosophes du vais-
55 seau firent un système[3] ; mais, quelque système qu'ils fissent, ils ne purent jamais deviner qui leur parlait. Le nain de Saturne, qui avait la voix plus douce que Micromégas, leur apprit alors en peu de mots à quelles espèces ils avaient affaire. Il leur conta le voyage de Saturne, les mit au fait de ce qu'était
60 M. Micromégas, et, après les avoir plaints d'être petits, il leur demanda s'ils avaient toujours été dans ce misérable état si

1. **Donner :** toucher, aboutir.
2. **Exorcismes :** paroles et cérémonies pour chasser les démons.
3. **Système :** assemblage de principes, vrais ou faux, liés ensemble.

Le géant Micromégas et le nain de Saturne, gravure d'après C. Monnet pour l'édition des *Romans et Contes* de Voltaire, 1778.
(Bibliothèque Nationale de France, Paris.)

voisin de l'anéantissement, ce qu'ils faisaient dans un globe qui paraissait appartenir à des baleines, s'ils étaient heureux, s'ils multipliaient[1], s'ils avaient une âme, et cent autres questions de cette nature.

Un raisonneur de la troupe, plus hardi que les autres, et choqué de ce qu'on doutait de son âme, observa l'interlocuteur avec des pinnules[2] braquées sur un quart de cercle, fit deux stations[3], et, à la troisième, il parla ainsi : « Vous croyez donc, monsieur, parce que vous avez mille toises depuis la tête jusqu'aux pieds, que vous êtes un… — Mille toises ! s'écria le nain. Juste ciel : d'où peut-il savoir ma hauteur ? mille toises ! Il ne se trompe pas d'un pouce. Quoi ! cet atome m'a mesuré ! Il est géomètre, il connaît ma grandeur ; et moi, qui ne le vois qu'à travers un microscope, je ne connais pas encore la sienne ! — Oui, je vous ai mesuré, dit le physicien, et je mesurerai bien encore votre grand compagnon. » La proposition fut acceptée ; Son Excellence se coucha de son long : car, s'il se fût tenu debout, sa tête eût été trop au-dessus des nuages. Nos philosophes lui plantèrent un grand arbre dans un endroit que le docteur Swift[4] nommerait, mais que je me garderai bien d'appeler par son nom, à cause de mon grand respect pour les dames. Puis, par une suite de triangles liés ensemble, ils conclurent que ce qu'ils voyaient était en effet un jeune homme de cent vingt mille pieds de roi.

Alors Micromégas prononça ces paroles : « Je vois plus que jamais qu'il ne faut juger de rien sur sa grandeur apparente. Ô Dieu, qui avez donné une intelligence à des substances qui paraissent si méprisables, l'infiniment petit vous coûte aussi peu que l'infiniment grand ; et, s'il est possible

1. **Multipliaient :** se reproduisaient. « *Croissez et multipliez* », dit Dieu dans la Bible à Adam et Ève.
2. **Pinnule :** petite plaque de cuivre élevée perpendiculairement à chaque extrémité d'une alidade et percée d'un petit trou. L'alidade est une règle qui tourne sur le centre d'un instrument à mesurer les angles.
3. Les **stations** sont les positions de l'appareil pour les mesures successives.
4. Voltaire cite ici sa caution et son modèle, l'auteur des *Voyages de Gulliver*. Voir p. 204.

SITUER

Les hommes une fois découverts, l'essentiel est d'entrer en communication avec eux, puis de faire les présentations.

RÉFLÉCHIR

STRATÉGIES : fonctions du merveilleux

1. Si la langue semble poser peu de problèmes, il faut néanmoins entrer en communication. Les appareils mis au point par Micromégas sont-ils plausibles ? Que déduisez-vous de votre réponse ?

2. Commentez plus particulièrement de ce point de vue le segment : « moyennant toutes ces précautions et bien d'autres encore » (l. 43-44).

3. Quelle est la conception du progrès scientifique qui s'exprime dans ce chapitre ? Quel programme s'y trouve tracé ?

4. Le raisonnement proportionnel (l. 99 à 104) sert à nouveau à montrer la relativité de toutes choses. Quelle est l'image du monde qui en résulte ?

5. Qu'est-ce qui apparente les deux discours de Micromégas à des « prières » ? Quel est le sens de sa réaction spontanée ?

PERSONNAGES : « Je ne méprise personne »

6. Une certaine opposition se fait jour entre le Sirien et le Saturnien : analysez-en les composantes et tirez-en la leçon.

7. Comment apparaissent les humains ? Étudiez leur comportement individuel et collectif.

QUI PARLE ? QUI VOIT ? Le point de vue du nain

8. Au début du chapitre, certains propos semblent venir du Saturnien, sans que cela soit dit explicitement : c'est du discours indirect libre. Repérez ces propos. Quelle est la fonction de ce mode d'expression ?

9. « ... le Sirien et son nain brûlaient d'impatience de lier conversation avec les atomes : il craignait que sa voix de tonnerre, et surtout celle de Micromégas, n'assourdît les mites... » Qui est ce « il » ? Comment justifier cette apparente inconséquence ?

qu'il y ait des êtres plus petits que ceux-ci, ils peuvent encore avoir un esprit supérieur à ceux de ces superbes animaux que j'ai vus dans le ciel, dont le pied seul couvrirait le globe où je suis descendu. »

95 Un des philosophes lui répondit qu'il pouvait en toute sûreté croire qu'il est en effet des êtres intelligents beaucoup plus petits que l'homme. Il lui conta, non pas tout ce que Virgile[1] a dit de fabuleux sur les abeilles, mais ce que Swammerdam[2] a découvert, et ce que Réaumur[3] a disséqué. Il 100 lui apprit enfin qu'il y a des animaux qui sont pour les abeilles, ce que les abeilles sont pour l'homme, ce que le Sirien lui-même était pour ces animaux si vastes dont il parlait, et ce que ces grands animaux sont pour d'autres substances devant lesquelles ils ne paraissent que comme des atomes. Peu à peu 105 la conversation devint intéressante, et Micromégas parla ainsi.

CHAPITRE VII

CONVERSATION AVEC LES HOMMES.

« Ô atomes intelligents, dans qui l'être éternel s'est plu à manifester son adresse et sa puissance, vous devez sans doute goûter des joies bien pures sur votre globe, car, ayant si peu de matière, et paraissant tout esprit, vous pouvez passer votre 5 vie à aimer et à penser ; c'est la véritable vie des esprits. Je n'ai vu nulle part le vrai bonheur, mais il est ici, sans doute. » À ce discours, tous les philosophes secouèrent la tête ; et l'un d'eux, plus franc que les autres, avoua de bonne foi que, si l'on en excepte un petit nombre d'habitants fort peu considé-10 rés, tout le reste est un assemblage de fous, de méchants et de malheureux. « Nous avons plus de matière qu'il ne nous en faut, dit-il, pour faire beaucoup de mal, si le mal vient de la

1. **Virgile :** poète latin du Ier siècle av. J.-C. (voir p. 225).
2. **Swammerdam :** naturaliste hollandais du XVIIe siècle, auteur d'une *Histoire des insectes* (1737-1739).
3. **Réaumur :** physicien et naturaliste français du XVIIIe siècle.

matière ; et trop d'esprit, si le mal vient de l'esprit. Savez-vous bien, par exemple, qu'à l'heure que je vous parle il y a
15 cent mille fous de notre espèce, couverts de chapeaux, qui tuent cent mille autres animaux couverts d'un turban, ou qui sont massacrés par eux[1], et que, presque par toute la terre, c'est ainsi qu'on en use de temps immémorial ? » Le Sirien frémit et demanda quel pouvait être le sujet de ces horribles
20 querelles entre de si chétifs animaux. « Il s'agit, dit le philosophe, de quelque tas de boue grand comme votre talon. Ce n'est pas qu'aucun de ces millions d'hommes qui se font égorger prétende un fétu[2] sur ces tas de boue. Il ne s'agit que de savoir s'il appartiendra à un certain homme qu'on nomme
25 *Sultan*, ou à un autre qu'on nomme, je ne sais pourquoi, *César*. Ni l'un ni l'autre n'a jamais vu ni ne verra jamais le petit coin de terre dont il s'agit, et presque aucun de ces animaux, qui s'égorgent mutuellement, n'a jamais vu l'animal pour lequel ils s'égorgent.

30 — Ah, malheureux ! s'écria le Sirien avec indignation, peut-on concevoir cet excès de rage forcenée ! Il me prend envie de faire trois pas, et d'écraser de trois coups de pied toute cette fourmilière d'assassins ridicules. — Ne vous en donnez pas la peine, lui répondit-on ; ils travaillent assez à
35 leur ruine. Sachez qu'au bout de dix ans il ne reste jamais la centième partie de ces misérables ; sachez que, quand même ils n'auraient pas tiré l'épée, la faim, la fatigue ou l'intempérance les emportent presque tous. D'ailleurs, ce n'est pas eux qu'il faut punir : ce sont ces barbares sédentaires qui, du
40 fond de leur cabinet, ordonnent, dans le temps de leur digestion, le massacre d'un million d'hommes, et qui ensuite en font remercier Dieu solennellement. »

Le voyageur se sentait ému de pitié pour la petite race humaine, dans laquelle il découvrait de si étonnants contrastes.
45 « Puisque vous êtes du petit nombre des sages, dit-il à ces

---

1. Allusion à la guerre, au sujet de la Crimée (1735-1739), opposant les Turcs aux Russes et aux Autrichiens.
2. **Prétende un fétu :** ait la plus petite revendication, convoite le moins du monde.

messieurs, et qu'apparemment vous ne tuez personne pour de l'argent, dites-moi, je vous prie, à quoi vous vous occupez. — Nous disséquons des mouches, dit le philosophe, nous mesurons des lignes, nous assemblons des nombres, nous
50 sommes d'accord sur deux ou trois points que nous entendons[1], et nous disputons sur deux ou trois mille que nous n'entendons pas. » Il prit aussitôt fantaisie au Sirien et au Saturnien d'interroger ces atomes pensants pour savoir les choses dont ils convenaient.

55 « Combien comptez-vous, dit-il, de l'étoile de la Canicule[2] à la grande étoile des Gémeaux[3] ? » Ils répondirent tous à la fois : « Trente-deux degrés et demi. — Combien comptez-vous d'ici à la lune ? — Soixante demi-diamètres de la terre en nombre rond. — Combien pèse votre air ? » Il
60 croyait les attraper, mais tous lui dirent que l'air pèse environ neuf cents fois moins qu'un pareil volume de l'eau la plus légère, et dix-neuf cents fois moins que l'or de ducat. Le petit nain de Saturne, étonné de leurs réponses, fut tenté de prendre pour des sorciers ces mêmes gens auxquels il avait
65 refusé une âme un quart d'heure auparavant.

Enfin Micromégas leur dit : « Puisque vous savez si bien ce qui est hors de vous, sans doute vous savez encore mieux ce qui est en dedans. Dites-moi ce que c'est que votre âme, et comment vous formez vos idées. » Les philosophes
70 parlèrent tous à la fois comme auparavant ; mais ils furent tous de différents avis. Le plus vieux citait Aristote[4], l'autre prononçait le nom de Descartes ; celui-ci, de Malebranche ; cet autre, de Leibniz ; cet autre, de Locke. Un

1. **Entendons :** comprenons.
2. **Canicule :** constellation où se trouve l'étoile Sirius.
3. **Gémeaux :** constellation qui doit son nom aux étoiles jumelles Castor et Pollux.
4. **Aristote :** philosophe grec du IVe siècle av. J.-C. – **Descartes :** philosophe français du XVIIe siècle, auteur du *Discours de la méthode* (1637) et des *Méditations métaphysiques* (1647). – **Malebranche :** philosophe français qui mourut en 1715, comme Louis XIV. – **Leibniz :** philosophe allemand, mort en 1716 ; au XVIIIe siècle, on écrivait Leibnitz. – **Locke :** philosophe anglais mort en 1704 (voir p. 222-225).

vieux péripatéticien[1] dit tout haut avec confiance : « L'âme est
75 une *entéléchie*[2], et une raison par quoi elle a la puissance d'être ce qu'elle est. C'est ce que déclare expressément Aristote, page 633 de l'édition du Louvre[3] : Ἐντελεχεια εστι, etc.

— Je n'entends pas trop bien le grec, dit le géant. — Ni moi non plus, dit la mite philosophique. — Pourquoi donc,
80 reprit le Sirien, citez-vous un certain Aristote en grec ? — C'est, répliqua le savant, qu'il faut bien citer ce qu'on ne comprend point du tout dans la langue qu'on entend le moins. »

Le cartésien[4] prit la parole, et dit : « L'âme est un esprit
85 pur, qui a reçu dans le ventre de sa mère toutes les idées métaphysiques, et qui, en sortant de là, est obligée d'aller à l'école, et d'apprendre tout de nouveau ce qu'elle a si bien su et qu'elle ne saura plus. — Ce n'était donc pas la peine, répondit l'animal de huit lieues, que ton âme fût si savante
90 dans le ventre de ta mère, pour être si ignorante quand tu aurais de la barbe au menton. Mais qu'entends-tu par esprit ?

— Que me demandez-vous là ? dit le raisonneur ; je n'en ai point d'idée : on dit que ce n'est pas de la matière. — Mais sais-tu au moins ce que c'est que de la matière ? — Très
95 bien, répondit l'homme. Par exemple cette pierre est grise, et d'une telle forme, elle a ses trois dimensions, elle est pesante et divisible. — Eh bien ! dit le Sirien, cette chose qui te paraît être divisible, pesante et grise, me dirais-tu bien ce que c'est ? Tu vois quelques attributs ; mais le fond de la
100 chose, le connais-tu ? — Non, dit l'autre. — Tu ne sais donc point ce que c'est que la matière. »

1. **Péripatéticien :** disciple d'Aristote, ainsi nommé parce que le maître et ses élèves discutaient en se promenant dans le « lycée », lieu près d'Athènes ; le mot signifie en effet « qui déambule ».
2. **Entéléchie :** mot de la philosophie d'Aristote, qui signifie « forme essentielle, perfection ».
3. Toutes les références sont exactes : cette édition fut imprimée en 1619 et réimprimée en 1629 ; la citation se trouve p. 633 du tome I, traité *De l'Âme*, livre II, chap. 2.
4. **Cartésien :** disciple de Descartes.

Alors M. Micromégas, adressant la parole à un autre sage qu'il tenait sur son pouce, lui demanda ce que c'était que 105 son âme, et ce qu'elle faisait. « Rien du tout, répondit le philosophe malebranchiste ; c'est Dieu qui fait tout pour moi ; je vois tout en lui, je fais tout en lui ; c'est lui qui fait tout sans que je m'en mêle.

— Autant vaudrait ne pas être, reprit le sage de Sirius. Et 110 toi, mon ami, dit-il à un leibnizien qui était là, qu'est-ce que ton âme ? — C'est, répondit le leibnizien, une aiguille qui montre les heures pendant que mon corps carillonne, ou bien, si vous voulez, c'est elle qui carillonne pendant que mon corps montre l'heure ; ou bien mon âme est le miroir de l'univers, et 115 mon corps est la bordure du miroir : cela est clair. »

Un petit partisan de Locke était là tout auprès ; et quand on lui eut enfin adressé la parole : « Je ne sais pas, dit-il, comment je pense, mais je sais que je n'ai jamais pensé qu'à l'occasion de mes sens. Qu'il y ait des substances immatérielles et intelli- 120 gentes, c'est de quoi je ne doute pas ; mais qu'il soit impossible à Dieu de communiquer la pensée à la matière, c'est de quoi je doute fort. Je révère la puissance éternelle ; il ne m'appartient pas de la borner : je n'affirme rien ; je me contente de croire qu'il y a plus de choses possibles qu'on ne le pense. »

125 L'animal de Sirius sourit : il ne trouva pas celui-là le moins sage ; et le nain de Saturne aurait embrassé le sectateur de Locke, sans l'extrême disproportion. Mais il y avait là, par malheur, un petit animalcule en bonnet carré[1] qui coupa la parole à tous les animalcules philosophes ; il dit qu'il savait tout 130 le secret, que cela se trouvait dans la *Somme* de saint Thomas[2] ; il regarda de haut en bas les deux habitants célestes ; il leur soutint que leurs personnes, leurs mondes, leurs soleils, leurs étoiles, tout était fait uniquement pour l'homme. À ce discours, nos deux voyageurs se laissèrent aller l'un sur l'autre en étouf- 135 fant de ce rire inextinguible[3] qui, selon Homère[4], est le partage

1. **Bonnet carré :** c'est le bonnet des théologiens, docteurs en Sorbonne.
2. **Saint Thomas :** théologien et philosophe italien du XIIIe siècle (voir p. 225).
3. **Inextinguible :** qui ne peut s'éteindre.
4. **Homère :** poète grec du IXe siècle av. J.-C., auteur de l'*Iliade* et de l'*Odyssée*.

des dieux : leurs épaules et leurs ventres allaient et venaient, et dans ces convulsions le vaisseau, que le Sirien avait sur son ongle, tomba dans une poche de la culotte du Saturnien. Ces deux bonnes gens le cherchèrent longtemps ; enfin ils retrou-
140 vèrent l'équipage, et le rajustèrent fort proprement. Le Sirien reprit les petites mites ; il leur parla encore avec beaucoup de bonté, quoiqu'il fût un peu fâché dans le fond du cœur de voir que les infiniment petits eussent un orgueil presque infiniment grand. Il leur promit de leur faire un beau livre de philosophie,
145 écrit fort menu pour leur usage, et que, dans ce livre, ils verraient le bout des choses. Effectivement, il leur donna ce volume avant son départ : on le porta à Paris, à l'Académie des sciences ; mais, quand le secrétaire l'eut ouvert, il ne vit rien qu'un livre tout blanc : *Ah !* dit-il, *je m'en étais bien douté.*

SITUER

Point d'aboutissement, à la fois sommet et conclusion de l'ouvrage, le dernier chapitre fait la revue de la condition humaine.

RÉFLÉCHIR

THÈMES : optimisme et pessimisme

1. La question essentielle est celle du bonheur. Quelles sont, selon ce chapitre, les causes du malheur des hommes ? Sont-elles toutes sur le même plan ?

2. Quelle pourrait être en revanche la conception du bonheur qui est suggérée ici ?

3. Micromégas déplore l'orgueil de la race humaine : par quoi est-il dicté ?

4. La pensée de Locke : pourquoi est-elle approuvée par les deux extraterrestres ?

STRATÉGIES : un examen impartial

5. La satire de la guerre est faite par les hommes eux-mêmes. Étudiez leurs arguments et la véhémence de l'expression.

6. Le défilé des théories philosophiques : leur ordre de succession a-t-il un sens ? Comment sont-elles ridiculisées ?

7. Montrez que les théories d'Aristote, de Descartes, de Malebranche et de Leibniz se détruisent elles-mêmes.

8. Les réactions des extraterrestres, notamment le tutoiement et le vouvoiement, indiquent leur opinion. Étudiez-les.

9. Quel est le bilan de cet exposé des divers systèmes ? En quoi prépare-t-il la conclusion ?

STRUCTURE : échos et dénouement

10. Montrez qu'il y a une continuité entre les chapitres VI et VII, par le retour d'éléments semblables. Quels sont les points récurrents ?

11. Quelle proportion y a-t-il entre la recherche des deux voyageurs au fil du récit et la découverte finale des hommes ? et dans le dernier chapitre entre le débat et la « révélation » finale ? Qu'en concluez-vous sur le plan narratif ? et sur le plan philosophique ?

12. Le seul événement est celui de la chute du vaisseau ; on peut y voir une allusion au naufrage de l'expédition de 1737 (voir p. 170). Quelle est alors sa portée symbolique ?

13. Le départ de Micromégas est juste évoqué : comment justifieriez-vous cette fin brusquée ?

QUI PARLE ? QUI VOIT ? Le narrateur et le lecteur

Dans un texte apparemment pauvre en personnages se glissent diverses présences plus ou moins masquées.

1. Faites le bilan des modes sur lesquels s'effectue l'intervention du narrateur dans son récit. Comment justifier ces interventions ?

2. Étudiez les passages où le lecteur est interpellé directement. Y a-t-il un lien entre le sujet traité et cette interpellation ?

3. Les astronomes décrivent Sirius en disant que cette étoile est liée à une étoile naine, appelée « compagnon de Sirius ». Comment, dans les deux derniers chapitres, se modifie la répartition des rôles entre Micromégas et son compagnon ?

STRATÉGIES : plaire et/ou instruire ?

L'information scientifique semble tenir une place importante dans ce texte, encore qu'il soit difficile d'en mesurer la portée et l'exactitude.

4. Y a-t-il, de la part de Voltaire, l'intention de faire œuvre de vulgarisation scientifique ? sur quels points essentiels ?

5. Il y a récurrence des indications chiffrées, géométriques ou physiques, d'une part, et, d'autre part, des comparaisons proportionnelles, qui établissent des transferts d'échelle. Examinez leurs caractéristiques et leurs fonctions.

6. Micromégas est venu du ciel ; il y retourne, semble-t-il, en laissant aux hommes « un beau livre de philosophie ». Voltaire aurait-il caché quelque chose derrière son récit ?

THÈMES : le vrai et le faux

Derrière la vérité scientifique se profile toujours une interrogation profonde sur la Création et donc sur le Créateur.

7. Les deux derniers chapitres mêlent constamment les préoccupations scientifiques et métaphysiques. Mais si, dans un cas, les savants « répondirent tous à la fois », dans l'autre ils « parlèrent tous à la fois comme auparavant ; mais ils furent tous de différents avis ». Quelle est la leçon de cette opposition ?

8. Existe-t-il un lien entre la condition humaine et les théories métaphysiques ? Bien qu'il ne soit pas formulé explicitement dans le texte, pouvez-vous en retrouver des traces ?

9. Le dernier paragraphe du chapitre XI de *L'Ingénu* est consacré, lui aussi, à l'astronomie. En comparant ces deux développements, dégagez la valeur symbolique attachée à cette discipline scientifique.

REGISTRES ET TONALITÉS : le rire, « partage des dieux »

La part du rire (ou du sourire) est peut-être moins grande ici que dans d'autres contes de Voltaire.

10. On peut distinguer le badinage, dont la fonction est d'amuser, et donc de faire passer des idées, de l'ironie*, qui a une fonction destructrice. Illustrez ces différences par des exemples.

11. L'humanité est présentée comme « un assemblage de fous, de méchants et de malheureux » (chapitre VII). Faut-il considérer que l'œuvre aboutit à un constat désespéré ?

L'Ingénu

VOLTAIRE

Histoire véritable
tirée des manuscrits
du P. Quesnel[1]

1. **Pasquier Quesnel :** théologien français (1634-1719).

Chapitre premier

Comment le prieur de Notre-Dame de la Montagne et mademoiselle sa sœur rencontrèrent un Huron.

Un jour saint Dunstan[1], Irlandais de nation et saint de profession, partit d'Irlande sur une petite montagne qui vogua vers les côtes de France, et arriva par cette voiture[2] à la baie de Saint-Malo. Quand il fut à bord[3], il donna la bénédiction à sa
5 montagne, qui lui fit de profondes révérences, et s'en retourna en Irlande par le même chemin qu'elle était venue.

Dunstan fonda un petit prieuré[4] dans ces quartiers-là[5] et lui donna le nom de *prieuré de la Montagne*, qu'il porte encore, comme un chacun sait.

10 En l'année 1689, le 15 juillet au soir, l'abbé de Kerkabon, prieur de Notre-Dame de la Montagne, se promenait sur le bord de la mer avec Mlle de Kerkabon, sa sœur, pour prendre le frais. Le prieur, déjà un peu sur l'âge, était un très bon ecclésiastique, aimé de ses voisins, après l'avoir été autrefois
15 de ses voisines. Ce qui lui avait donné surtout une grande considération, c'est qu'il était le seul bénéficier[6] du pays qu'on ne fût pas obligé de porter dans son lit quand il avait soupé avec ses confrères. Il savait assez honnêtement de théologie, et quand il était las de lire saint Augustin[7], il
20 s'amusait avec Rabelais : aussi tout le monde disait du bien de lui.

1. Bénédictin (924-988), évêque de Worcester puis de Cantorbury (voir p. 222).
2. **Cette voiture :** ce moyen de transport.
3. **Quand il fut à bord :** quand il eut abordé.
4. **Prieuré :** petite communauté religieuse dépendant d'une abbaye.
5. **Ces quartiers-là :** cette région.
6. **Bénéficier :** titulaire d'un bénéfice ecclésiastique, c'est-à-dire qui touche les revenus d'un couvent, d'une abbaye.
7. Évêque d'Hippone, en Afrique du Nord, docteur et père de l'Église (354-430). (Voir p. 222.)

Mlle de Kerkabon, qui n'avait jamais été mariée, quoiqu'elle eût grande envie de l'être, conservait de la fraîcheur à l'âge de quarante-cinq ans ; son caractère était bon 25 et sensible ; elle aimait le plaisir et était dévote.

Le prieur disait à sa sœur, en regardant la mer : « Hélas ! c'est ici que s'embarqua notre pauvre frère avec notre chère belle-sœur, Mme de Kerkabon sa femme, sur la frégate *l'Hirondelle*, en 1669, pour aller servir en Canada. S'il 30 n'avait pas été tué, nous pourrions espérer de le revoir encore.

— Croyez-vous, disait Mlle de Kerkabon, que notre belle-sœur ait été mangée par les Iroquois, comme on nous l'a dit ? Il est certain que, si elle n'avait pas été mangée, elle 35 serait revenue au pays. Je la pleurerai toute ma vie : c'était une femme charmante ; et notre frère, qui avait beaucoup d'esprit, aurait fait assurément une grande fortune[1]. »

Comme ils s'attendrissaient l'un et l'autre à ce souvenir, ils virent entrer dans la baie de Rance un petit bâtiment qui 40 arrivait avec la marée : c'était des Anglais qui venaient vendre quelques denrées de leur pays. Ils sautèrent à terre, sans regarder monsieur le prieur ni mademoiselle sa sœur, qui fut très choquée du peu d'attention qu'on avait pour elle.

Il n'en fut pas de même d'un jeune homme très bien fait, 45 qui s'élança d'un saut par-dessus la tête de ses compagnons, et se trouva vis-à-vis mademoiselle. Il lui fit un signe de tête, n'étant pas dans l'usage[2] de faire la révérence. Sa figure[3] et son ajustement[4] attirèrent les regards du frère et de la sœur. Il était nu-tête et nu-jambes, les pieds chaussés de petites 50 sandales, le chef[5] orné de longs cheveux en tresses, un petit pourpoint[6] qui serrait une taille fine et dégagée ; l'air martial

1. Il ne s'agit pas seulement des richesses : nous dirions « il aurait fait une belle carrière ».
2. **N'étant pas dans l'usage :** n'ayant pas l'habitude.
3. **Sa figure :** son apparence extérieure (et pas seulement son visage).
4. **Son ajustement :** ses vêtements et son équipement.
5. **Le chef :** la tête.
6. **Pourpoint :** gilet ajusté.

et doux. Il tenait dans sa main une petite bouteille d'eau des Barbades[1], et dans l'autre une espèce de bourse dans laquelle était un gobelet et de très bons biscuits de mer. Il parlait
55 français fort intelligiblement. Il présenta de son eau des Barbades à Mlle de Kerkabon et à monsieur son frère ; il en but avec eux ; il leur en fit reboire encore, et tout cela d'un air si simple et si naturel que le frère et la sœur en furent charmés. Ils lui offrirent leurs services, en lui demandant qui
60 il était et où il allait. Le jeune homme leur répondit qu'il n'en savait rien, qu'il était curieux, qu'il avait voulu voir comment les côtes de France étaient faites, qu'il était venu, et allait s'en retourner.

Monsieur le prieur, jugeant à son accent qu'il n'était pas
65 anglais, prit la liberté de lui demander de quel pays il était. « Je suis huron[2] », lui répondit le jeune homme.

Mlle de Kerkabon, étonnée et enchantée de voir un Huron qui lui avait fait des politesses, pria le jeune homme à souper ; il ne se fit pas prier deux fois, et tous trois allèrent
70 de compagnie au prieuré de Notre-Dame de la Montagne.

La courte et ronde demoiselle le regardait de tous ses petits yeux, et disait de temps en temps au prieur : « Ce grand garçon-là a un teint de lis et de rose ! qu'il a une belle peau pour un Huron ! — Vous avez raison, ma sœur », disait
75 le prieur. Elle faisait cent questions coup sur coup, et le voyageur répondait toujours fort juste.

Le bruit se répandit bientôt qu'il y avait un Huron au prieuré. La bonne compagnie du canton s'empressa d'y venir souper. L'abbé de Saint-Yves y vint avec mademoiselle sa
80 sœur, jeune Basse-Brette[3], fort jolie et très bien élevée. Le bailli[4], le receveur des tailles[5] et leurs femmes furent du souper. On plaça l'étranger entre Mlle de Kerkabon et Mlle de Saint-Yves. Tout le monde le regardait avec admira-

1. Sorte de rhum.
2. Nom d'une tribu indienne, comme plus haut Iroquois.
3. Habitante de la Basse-Bretagne.
4. **Bailli :** responsable régional de la justice.
5. La taille est un impôt annuel payé par les roturiers.

Gravure d'après C. Monnet pour l'édition des *Romans et Contes* de Voltaire, 1778.
(Bibliothèque nationale de France, Paris.)

tion ; tout le monde lui parlait et l'interrogeait à la fois ; le
85 Huron ne s'en émouvait pas. Il semblait qu'il eût pris pour
sa devise celle de milord Bolingbroke[1] : *nihil admirari*[2].
Mais à la fin, excédé de tant de bruit, il leur dit avec assez de
douceur, mais avec un peu de fermeté : « Messieurs, dans
mon pays on parle l'un après l'autre ; comment voulez-vous
90 que je vous réponde quand vous m'empêchez de vous
entendre ? » La raison fait toujours rentrer les hommes en
eux-mêmes pour quelques moments. Il se fit un grand
silence. Monsieur le bailli, qui s'emparait toujours des étrangers dans quelque maison qu'il se trouvât, et qui était le plus
95 grand questionneur de la province, lui dit en ouvrant la
bouche d'un demi-pied[3]: « Monsieur, comment vous
nommez-vous ? — On m'a toujours appelé *l'Ingénu*, reprit
le Huron, et on m'a confirmé ce nom en Angleterre, parce
que je dis toujours naïvement ce que je pense, comme je fais
100 tout ce que je veux.

— Comment, étant né huron, avez-vous pu, monsieur,
venir en Angleterre ? — C'est qu'on m'y a mené ; j'ai été
fait, dans un combat, prisonnier par les Anglais, après m'être
assez bien défendu ; et les Anglais, qui aiment la bravoure,
105 parce qu'ils sont braves et qu'ils sont aussi honnêtes que
nous, m'ayant proposé de me rendre à mes parents ou de
venir en Angleterre, j'acceptai le dernier parti parce que de
mon naturel j'aime passionnément à voir du pays.

— Mais, monsieur, dit le bailli avec son ton imposant,
110 comment avez-vous pu abandonner ainsi père et mère ?
— C'est que je n'ai jamais connu ni père ni mère », dit
l'étranger. La compagnie s'attendrit, et tout le monde répétait : *Ni père, ni mère !* « Nous lui en servirons, dit la
maîtresse de la maison à son frère le prieur ; que ce monsieur
115 le Huron est intéressant ! » L'Ingénu la remercia avec une

1. Homme politique anglais (1678-1751). (Voir p. 222.)
2. « Ne s'étonner de rien » (Horace, *Épîtres*, I, VI).
3. **Un pied :** 0,324 m.

cordialité noble et fière, et lui fit comprendre qu'il n'avait besoin de rien.

« Je m'aperçois, monsieur l'Ingénu, dit le grave bailli, que vous parlez mieux français qu'il n'appartient[1] à un Huron.
120 — Un Français, dit-il, que nous avions pris dans ma grande jeunesse en Huronie, et pour qui je conçus beaucoup d'amitié, m'enseigna sa langue ; j'apprends très vite ce que je veux apprendre. J'ai trouvé en arrivant à Plymouth un de vos Français réfugiés que vous appelez *huguenots*[2], je ne sais
125 pourquoi ; il m'a fait faire quelques progrès dans la connaissance de votre langue ; et, dès que j'ai pu m'exprimer intelligiblement, je suis venu voir votre pays, parce que j'aime assez les Français quand ils ne font pas trop de questions. »

L'abbé de Saint-Yves, malgré ce petit avertissement, lui
130 demanda laquelle des trois langues lui plaisait davantage, la huronne, l'anglaise ou la française. « La huronne, sans contredit, répondit l'Ingénu. — Est-il possible ? s'écria Mlle de Kerkabon ; j'avais toujours cru que le français était la plus belle de toutes les langues après le bas-breton. »

135 Alors ce fut à qui demanderait à l'Ingénu comment on disait en huron du tabac, et il répondait *taya* ; comment on disait manger, et il répondait *essenten*. Mlle de Kerkabon voulut absolument savoir comment on disait faire l'amour[3] ; il lui répondit *trovander*, et soutint, non sans apparence de
140 raison, que ces mots-là valaient bien les mots français et anglais qui leur correspondaient. *Trovander* parut très joli à tous les convives.

Monsieur le prieur, qui avait dans sa bibliothèque la grammaire huronne dont le révérend père Sagard-Théodat[4],
145 récollet, fameux missionnaire, lui avait fait présent, sortit de

---

1. **Il n'appartient :** il n'est habituel.
2. **Huguenots :** protestants.
3. La locution est à l'origine d'innombrables plaisanteries : en principe elle signifie seulement « faire la cour à une femme », mais des sens plus poussés peuvent être sous-entendus.
4. Le R.P. Théodat est l'auteur d'un *Grand voyage au pays des Hurons... avec un dictionnaire de la langue huronne* (1632). – **Récollet :** ordre religieux franciscain qui envoyait des missionnaires au Canada.

table un moment pour l'aller consulter. Il revint tout haletant de tendresse et de joie. Il reconnut l'Ingénu pour un vrai Huron. On disputa un peu sur la multiplicité des langues, et on convint que, sans l'aventure de la tour de
150 Babel[1], toute la terre aurait parlé français.

L'interrogant[2] bailli, qui jusque-là s'était défié un peu du personnage, conçut pour lui un profond respect ; il lui parla avec plus de civilité qu'auparavant, de quoi l'Ingénu ne s'aperçut pas.

155 Mlle de Saint-Yves était fort curieuse de savoir comment on faisait l'amour au pays des Hurons. « En faisant de belles actions, répondit-il, pour plaire aux personnes qui vous ressemblent. » Tous les convives applaudirent avec étonnement. Mlle de Saint-Yves rougit, et fut fort aise. Mlle de
160 Kerkabon rougit aussi, mais elle n'était pas si aise ; elle fut un peu piquée que la galanterie ne s'adressât pas à elle, mais elle était si bonne personne que son affection pour le Huron n'en fut point du tout altérée. Elle lui demanda, avec beaucoup de bonté, combien il avait eu de maîtresses en Huronie. « Je
165 n'en ai jamais eu qu'une, dit l'Ingénu ; c'était Mlle Abacaba, la bonne amie de ma chère nourrice ; les joncs ne sont pas plus droits, l'hermine[3] n'est pas plus blanche, les moutons sont moins doux, les aigles moins fiers, et les cerfs ne sont pas si légers que l'était Abacaba. Elle poursuivait un jour un lièvre
170 dans notre voisinage, environ à cinquante lieues de notre habitation. Un Algonquin mal élevé, qui habitait cent lieues plus loin, vint lui prendre son lièvre ; je le sus, j'y courus, je terrassai l'Algonquin d'un coup de massue, je l'amenai aux

1. Nom hébreu de Babylone ; dans la Bible (Genèse, XI, 1-9), les hommes y édifient une haute tour pour se rapprocher du ciel. Dieu les punit en introduisant la diversité des langues.
2. **Interrogant :** (ne pas confondre avec « interrogeant ») on disait *un point interrogant* pour un point d'interrogation ; appliqué à un homme, cela signifie *qui a la manie d'interroger.*
3. **Hermine :** fourrure blanche d'hiver d'une sorte de belette, symbole de la pureté.

pieds de ma maîtresse, pieds et poings liés. Les parents d'Abacaba voulurent le manger, mais je n'eus jamais de goût
175 pour ces sortes de festins ; je lui rendis sa liberté, j'en fis un ami. Abacaba fut si touchée de mon procédé qu'elle me préféra à tous ses amants. Elle m'aimerait encore si elle n'avait pas été mangée par un ours. J'ai puni l'ours, j'ai porté longtemps sa peau, mais cela ne m'a pas consolé. »
180 Mlle de Saint-Yves, à ce récit, sentait un plaisir secret d'apprendre que l'Ingénu n'avait eu qu'une maîtresse, et qu'Abacaba n'était plus ; mais elle ne démêlait pas la cause de son plaisir. Tout le monde fixait les yeux sur l'Ingénu ; on le louait beaucoup d'avoir empêché ses camarades de
185 manger un Algonquin.

L'impitoyable bailli, qui ne pouvait réprimer sa fureur de questionner, poussa enfin la curiosité jusqu'à s'informer de quelle religion était monsieur le Huron ; s'il avait choisi la religion anglicane, ou la gallicane, ou la huguenote. « Je suis
190 de ma religion, dit-il, comme vous de la vôtre. — Hélas ! s'écria la Kerkabon, je vois bien que ces malheureux Anglais n'ont pas seulement songé à le baptiser. — Eh ! mon Dieu, disait Mlle de Saint-Yves, comment se peut-il que les Hurons ne soient pas catholiques ? Est-ce que les RR.PP.[1] jésuites ne
195 les ont pas tous convertis ? » L'Ingénu l'assura que dans son pays on ne convertissait personne ; que jamais un vrai Huron n'avait changé d'opinion, et que même il n'y avait point dans sa langue de terme qui signifiât *inconstance*. Ces derniers mots plurent extrêmement à Mlle de Saint-Yves.
200 « Nous le baptiserons, nous le baptiserons, disait la Kerkabon à monsieur le prieur ; vous en aurez l'honneur, mon cher frère ; je veux absolument être sa marraine ; M. l'abbé de Saint-Yves le présentera sur les fonts[2] : ce sera une cérémonie bien brillante ; il en sera parlé dans toute la Basse-Bretagne, et cela nous fera un honneur infini. » Toute la

1. L'abréviation du titre de révérend père donné à certains religieux est R.P. au singulier, et RR.PP. au pluriel.
2. **Les fonts baptismaux :** le bassin au-dessus duquel on baptise.

compagnie seconda la maîtresse de la maison ; tous les convives criaient : « Nous le baptiserons ! » L'Ingénu répondit qu'en Angleterre on laissait vivre les gens à leur fantaisie. Il témoigna que la proposition ne lui plaisait point du tout, et que la loi des Hurons valait pour le moins la loi des Bas-Bretons ; enfin, il dit qu'il repartait le lendemain. On acheva de vider sa bouteille d'eau des Barbades, et chacun s'alla coucher.

Quand on eut reconduit l'Ingénu dans sa chambre, Mlle de Kerkabon et son amie Mlle de Saint-Yves ne purent se tenir de regarder par le trou d'une large serrure pour voir comment dormait un Huron. Elles virent qu'il avait étendu la couverture du lit sur le plancher, et qu'il reposait dans la plus belle attitude du monde.

CHAPITRE II

LE HURON, NOMMÉ L'INGÉNU, RECONNU DE SES PARENTS.

L'Ingénu, selon sa coutume, s'éveilla avec le soleil au chant du coq, qu'on appelle en Angleterre et en Huronie *la trompette du jour.* Il n'était pas comme la bonne compagnie qui languit dans un lit oiseux[1] jusqu'à ce que le soleil ait fait la moitié de son tour, qui ne peut ni dormir ni se lever, qui perd tant d'heures précieuses dans cet état mitoyen[2] entre la vie et la mort, et qui se plaint encore que la vie est trop courte.

Il avait déjà fait deux ou trois lieues, il avait tué trente pièces de gibier à balle seule[3], lorsqu'en rentrant il trouva monsieur le prieur de Notre-Dame de la Montagne et sa

1. **Oiseux :** littéralement, « qui ne sert à rien » ; mais appliqué à une personne, il signifie « fainéant », si bien qu'on peut comprendre : lit d'un fainéant.
2. **Mitoyen :** intermédiaire.
3. Chaque pièce a été tuée du premier coup. Nous apprendrons au chapitre VII que l'Ingénu a un fusil à deux coups.

discrète sœur, se promenant en bonnet de nuit dans leur petit jardin. Il leur présenta toute sa chasse, et, en tirant de sa chemise une espèce de petit talisman qu'il portait toujours à son cou, il les pria de l'accepter en reconnaissance de leur
15 bonne réception. « C'est ce que j'ai de plus précieux, leur dit-il ; on m'a assuré que je serais toujours heureux tant que je porterais ce petit brimborion[1] sur moi, et je vous le donne afin que vous soyez toujours heureux. »

Le prieur et mademoiselle sourirent avec attendrissement
20 de la naïveté de l'Ingénu. Ce présent consistait en deux petits portraits assez mal faits, attachés ensemble avec une courroie fort grasse.

Mlle de Kerkabon lui demanda s'il y avait des peintres en Huronie. « Non, dit l'Ingénu, cette rareté me vient de ma
25 nourrice ; son mari l'avait eue par conquête, en dépouillant quelques Français du Canada qui nous avaient fait la guerre ; c'est tout ce que j'en ai su. »

Le prieur regardait attentivement ces portraits ; il changea de couleur, il s'émut, ses mains tremblèrent. « Par Notre-
30 Dame de la Montagne, s'écria-t-il, je crois que voilà le visage de mon frère le capitaine et de sa femme ! » Mademoiselle, après les avoir considérés avec la même émotion, en jugea de même. Tous deux étaient saisis d'étonnement et d'une joie mêlée de douleur ; tous deux s'attendrissaient ; tous deux
35 pleuraient ; leur cœur palpitait ; ils poussaient des cris ; ils s'arrachaient les portraits ; chacun d'eux les prenait et les rendait vingt fois en une seconde ; ils dévoraient des yeux les portraits et le Huron ; ils lui demandaient l'un après l'autre, et tous deux à la fois, en quel lieu, en quel temps, comment
40 ces miniatures étaient tombées entre les mains de sa nourrice ; ils rapprochaient, ils comptaient les temps depuis le départ du capitaine ; ils se souvenaient d'avoir eu nouvelle qu'il avait été jusqu'au pays des Hurons, et que depuis ce temps ils n'en avaient jamais entendu parler.

1. **Brimborion :** chose insignifiante.

45 L'Ingénu leur avait dit qu'il n'avait connu ni père ni mère. Le prieur, qui était homme de sens, remarqua que l'Ingénu avait un peu de barbe ; il savait très bien que les Hurons n'en ont point.

« Son menton est cotonné, il est donc fils d'un homme 50 d'Europe. Mon frère et ma belle-sœur ne parurent plus après l'expédition contre les Hurons en 1669 ; mon neveu devait alors être à la mamelle ; la nourrice huronne lui a sauvé la vie et lui a servi de mère. » Enfin, après cent questions et cent réponses, le prieur et sa sœur conclurent que le 55 Huron était leur propre neveu. Ils l'embrassaient en versant des larmes ; et l'Ingénu riait, ne pouvant s'imaginer qu'un Huron fût neveu d'un prieur bas-breton.

Toute la compagnie descendit ; M. de Saint-Yves, qui était grand physionomiste, compara les deux portraits avec le visage 60 de l'Ingénu ; il fit très habilement remarquer qu'il avait les yeux de sa mère, le front et le nez de feu M. le capitaine de Kerkabon, et des joues qui tenaient de l'un et de l'autre.

Mlle de Saint-Yves, qui n'avait jamais vu le père ni la mère, assura que l'Ingénu leur ressemblait parfaitement. Ils 65 admiraient tous la Providence et l'enchaînement des événements de ce monde. Enfin on était si persuadé, si convaincu de la naissance de l'Ingénu, qu'il consentit lui-même à être neveu de monsieur le prieur, en disant qu'il aimait autant l'avoir pour son oncle qu'un autre.

70 On alla rendre grâce à Dieu dans l'église de Notre-Dame de la Montagne, tandis que le Huron, d'un air indifférent, s'amusait à boire dans la maison.

Les Anglais qui l'avaient amené, et qui étaient prêts à mettre à la voile, vinrent lui dire qu'il était temps de partir. 75 « Apparemment, leur dit-il, que vous n'avez pas retrouvé vos oncles et vos tantes : je reste ici ; retournez à Plymouth, je vous donne toutes mes hardes[1], je n'ai plus besoin de rien au

1. **Hardes :** ensemble des effets personnels ; mais le sens péjoratif de « vêtements pauvres et usagés » commence à apparaître.

monde, puisque je suis le neveu d'un prieur. » Les Anglais mirent à la voile, en se souciant fort peu que l'Ingénu eût 80 des parents ou non en Basse-Bretagne.

Après que l'oncle, la tante et la compagnie eurent chanté le *Te Deum* ; après que le bailli eut encore accablé l'Ingénu de questions ; après qu'on eut épuisé tout ce que l'étonnement, la joie, la tendresse peuvent faire dire, le prieur de la Monta- 85 gne et l'abbé de Saint-Yves conclurent à faire baptiser[1] l'Ingénu au plus vite. Mais il n'en était pas d'un grand Huron de vingt-deux ans comme d'un enfant qu'on régénère[2] sans qu'il en sache rien. Il fallait l'instruire, et cela paraissait difficile : car l'abbé de Saint-Yves supposait qu'un homme qui 90 n'était pas né en France n'avait pas le sens commun.

Le prieur fit observer à la compagnie que, si en effet monsieur l'Ingénu, son neveu, n'avait pas eu le bonheur d'être élevé en Basse-Bretagne, il n'en avait pas moins d'esprit ; qu'on en pouvait juger par toutes ses réponses ; et 95 que sûrement la nature l'avait beaucoup favorisé, tant du côté paternel que du maternel.

On lui demanda d'abord s'il avait jamais lu quelque livre. Il dit qu'il avait lu Rabelais traduit en anglais, et quelques morceaux de Shakespeare qu'il savait par cœur ; qu'il avait 100 trouvé ces livres chez le capitaine du vaisseau qui l'avait amené de l'Amérique à Plymouth et qu'il en était fort content. Le bailli ne manqua pas de l'interroger sur ces livres. « Je vous avoue, dit l'Ingénu, que j'ai cru en deviner quelque chose, et que je n'ai pas entendu[3] le reste. »

105 L'abbé de Saint-Yves, à ce discours, fit réflexion que c'était ainsi que lui-même avait toujours lu, et que la plupart des hommes ne lisaient guère autrement. « Vous avez sans doute lu la Bible ? dit-il au Huron. — Point du tout, monsieur l'abbé ; elle n'était pas parmi les livres de mon

1. **Conclurent à faire baptiser :** décidèrent qu'il fallait baptiser.
2. Pour les chrétiens, le baptême est une nouvelle naissance spirituelle ; *régénérer* est un terme de théologie qui signifie « renaître » et n'a pas encore le sens de « réparer ».
3. **Entendu :** compris.

SITUER

Le début d'un roman impose que nous fassions connaissance avec son ou ses héros. L'habileté consiste ici à organiser « cinématographiquement » notre rencontre avec l'Ingénu, si bien que nous participons à sa double reconnaissance.

RÉFLÉCHIR

GENRES : le romanesque et le merveilleux

1. À la lecture de la première page, les attentes du lecteur sont multiples : aura-t-il affaire à une « histoire véritable » comme l'indique le sous-titre, à une légende comme celle de saint Dunstan, ou à un roman historique avec indication précise de la date et du jour ? De quel côté l'auteur a-t-il voulu faire pencher la balance et pourquoi ?

2. Le Huron ne sait pas faire la révérence, contrairement à la montagne magique de saint Dunstan ; pourtant, à la fin du chapitre II, il en fait de profondes à Mlle de Saint-Yves. Que s'est-il passé ? Ce même détail reviendra encore au début du chapitre IV (l. 29-32) : quel est le sens de cette reprise ? Quel travail est ainsi demandé au lecteur ?

SOCIÉTÉ : vous avez-dit « Basse-Brette » ?

3. Voltaire a choisi de faire aborder le Huron en Basse-Bretagne. Vous vous interrogerez sur le milieu et les personnages du petit monde avec lequel il fait connaissance. Vous relèverez les principaux traits du caractère et de la personnalité des individus qui composent cette société.

THÈMES : y a-t-il un nouveau monde ?

4. Comment sont présentées les trois composantes principales de la diversité des mondes : la race, la langue et la religion ? Y a-t-il opposition radicale entre l'ancien et le nouveau monde ?

5. Comment le personnage de l'Ingénu se trouve-t-il valorisé par rapport aux autres personnages ?

REGISTRES ET TONALITÉS : la plaisanterie

6. Le comique prend souvent ici une forme malicieuse ou polissonne : étudiez les emplacements qui lui sont réservés dans l'organisation des deux chapitres, et rendez compte des moyens utilisés.

ÉCRIRE

7. Tracez un rapide portrait de chacun des membres de la petite société réunie chez le prieur.

110 capitaine ; je n'en ai jamais entendu parler. — Voilà comme sont ces maudits Anglais, criait Mlle de Kerkabon ; ils feront plus de cas d'une pièce de Shakespeare, d'un plumbpouding[1] et d'une bouteille de rhum que du Pentateuque[2]. Aussi n'ont-ils jamais converti personne en Amérique. Certaine-
115 ment ils sont maudits de Dieu ; et nous leur prendrons la Jamaïque et la Virginie avant qu'il soit peu de temps. »

Quoi qu'il en soit, on fit venir le plus habile tailleur de Saint-Malo pour habiller l'Ingénu de pied en cap. La compagnie se sépara ; le bailli alla faire ses questions ailleurs. Mlle
120 de Saint-Yves, en partant, se retourna plusieurs fois pour regarder l'Ingénu ; et il lui fit des révérences plus profondes qu'il n'en avait jamais fait à personne en sa vie.

Le bailli, avant de prendre congé, présenta à Mlle de Saint-Yves un grand nigaud de fils qui sortait du collège ;
125 mais à peine le regarda-t-elle, tant elle était occupée de la politesse du Huron.

CHAPITRE III

LE HURON, NOMMÉ L'INGÉNU, CONVERTI.

Monsieur le prieur, voyant qu'il était un peu sur l'âge, et que Dieu lui envoyait un neveu pour sa consolation, se mit en tête qu'il pourrait lui résigner son bénéfice[3] s'il réussissait à le baptiser et à le faire entrer dans les ordres[4].

---

1. On aura reconnu ici le plum-pudding anglais. Voltaire introduisit le mot en français (le gâteau, lui, ne fut vraiment connu en France qu'après 1815). La graphie adoptée recouvre une plaisanterie entre *plum* (= raisins secs) et *plumb* (= le plomb) ; elle était courante puisqu'on appelait ce gâteau « gâteau de plomb ».
2. **Pentateuque :** l'ensemble des cinq premiers livres de l'Ancien Testament : Genèse, Exode, Lévitique, Nombres, Deutéronome.
3. **Lui résigner son bénéfice :** lui transmettre son bénéfice (voir p. 58 note 6).
4. **Entrer dans les ordres :** suivre la formation progressive qui conduit à la prêtrise (4 ordres mineurs puis 3 ordres sacrés).

L'Ingénu avait une mémoire excellente. La fermeté des organes de Basse-Bretagne, fortifiée par le climat du Canada, avait rendu sa tête si vigoureuse que, quand on frappait dessus, à peine le sentait-il ; et, quand on gravait dedans, rien ne s'effaçait ; il n'avait jamais rien oublié. Sa conception était d'autant plus vive et plus nette que, son enfance n'ayant point été chargée des inutilités et des sottises qui accablent la nôtre, les choses entraient dans sa cervelle sans nuage. Le prieur résolut enfin de lui faire lire le Nouveau Testament. L'Ingénu le dévora avec beaucoup de plaisir ; mais, ne sachant ni dans quel temps ni dans quel pays toutes les aventures rapportées dans ce livre étaient arrivées, il ne douta point que le lieu de la scène ne fût en Basse-Bretagne, et il jura qu'il couperait le nez et les oreilles à Caïphe[1] et à Pilate si jamais il rencontrait ces marauds-là[2].

Son oncle, charmé de ces bonnes dispositions, le mit au fait[3] en peu de temps ; il loua son zèle, mais il lui apprit que ce zèle était inutile, attendu que ces gens-là étaient morts il y avait environ seize cent quatre-vingt-dix années. L'Ingénu sut bientôt presque tout le livre par cœur. Il proposait quelquefois des difficultés qui mettaient le prieur fort en peine. Il était obligé souvent de consulter l'abbé de Saint-Yves qui, ne sachant que répondre, fit venir un jésuite bas-breton pour achever la conversion du Huron.

Enfin la grâce opéra ; l'Ingénu promit de se faire chrétien ; il ne douta pas qu'il ne dût commencer par être circoncis : « Car, disait-il, je ne vois pas dans le livre qu'on m'a fait lire un seul personnage qui ne l'ait été ; il est donc évident que je dois faire le sacrifice de mon prépuce : le plus tôt c'est le mieux. » Il ne délibéra point. Il envoya chercher le chirurgien[4] du village et le pria de lui faire l'opération, comptant réjouir infi-

1. **Caïphe :** grand prêtre juif ; il présida le tribunal qui condamna Jésus. **Pilate :** préfet romain de Judée au moment du procès fait à Jésus. Il abandonna celui-ci aux Juifs en se lavant symboliquement les mains.
2. **Maraud :** terme injurieux qui se dit des gueux, des coquins.
3. **Le mit au fait :** l'informa.
4. **Chirurgien :** nom donné à un auxiliaire médical ; souvent c'est le barbier (barbiers et chirurgiens forment une seule corporation).

35 niment Mlle de Kerkabon et toute la compagnie quand une fois la chose serait faite. Le frater[1], qui n'avait point encore fait cette opération, en avertit la famille, qui jeta les hauts cris. La bonne Kerkabon trembla que son neveu, qui paraissait résolu et expéditif, ne se fit lui-même l'opération très maladroite-
40 ment, et qu'il n'en résultât de tristes effets auxquels les dames s'intéressent toujours par bonté d'âme.

Le prieur redressa les idées du Huron ; il lui remontra que la circoncision n'était plus de mode, que le baptême était beaucoup plus doux et plus salutaire, que la loi de grâce
45 n'était pas comme la loi de rigueur[2]. L'Ingénu, qui avait beaucoup de bon sens et de droiture, disputa, mais reconnut son erreur, ce qui est assez rare en Europe aux gens qui disputent ; enfin il promit de se faire baptiser quand on voudrait.

Il fallait auparavant se confesser, et c'était là le plus difficile.
50 L'Ingénu avait toujours en poche le livre que son oncle lui avait donné. Il n'y trouvait pas qu'un seul apôtre se fût confessé, et cela le rendait très rétif. Le prieur lui ferma la bouche en lui montrant, dans l'épître de saint Jacques le Mineur[3], ces mots qui font tant de peine aux hérétiques :
55 *Confessez vos péchés les uns aux autres.* Le Huron se tut, et se confessa à un récollet[4]. Quand il eut fini, il tira le récollet du confessionnal, et, saisissant son homme d'un bras vigoureux, il se mit à sa place et le fit mettre à genoux devant lui : « Allons, mon ami, il est dit : *Confessez-vous les uns aux autres* ; je t'ai
60 conté mes péchés, tu ne sortiras pas d'ici que tu ne m'aies conté les tiens. » En parlant ainsi, il appuyait son large genou contre la poitrine de son adverse partie[5]. Le récollet pousse des hurlements qui font retentir l'église. On accourt au bruit,

1. **Frater :** nom donné à leur garçon de boutique par les barbiers et chirurgiens.
2. **Loi de grâce :** l'enseignement du Nouveau Testament (depuis la venue de Jésus). — **Loi de rigueur :** l'enseignement de l'Ancien Testament.
3. L'un des 12 apôtres.
4. **Récollet :** voir p. 63 note 4.
5. **Adverse partie :** en termes de droit, l'adversaire, c'est la partie adverse ; Voltaire a l'habitude d'antéposer l'adjectif.

on voit le catéchumène[1] qui gourmait[2] le moine au nom de
65 saint Jacques le Mineur. La joie de baptiser un Bas-Breton huron et anglais était si grande qu'on passa par-dessus ces singularités. Il y eut même beaucoup de théologiens qui pensèrent que la confession n'était pas nécessaire, puisque le baptême tenait lieu de tout.

70 On prit jour avec l'évêque de Saint-Malo, qui, flatté, comme on peut le croire, de baptiser un Huron, arriva dans un pompeux équipage, suivi de son clergé. Mlle de Saint-Yves, en bénissant Dieu, mit sa plus belle robe et fit venir une coiffeuse de Saint-Malo, pour briller à la cérémonie. L'interrogant[3] bailli
75 accourut avec toute la contrée. L'église était magnifiquement parée ; mais, quand il fallut prendre le Huron pour le mener aux fonts baptismaux, on ne le trouva point.

L'oncle et la tante le cherchèrent partout. On crut qu'il était à la chasse, selon sa coutume. Tous les conviés à la fête
80 parcoururent les bois et les villages voisins : point de nouvelles du Huron.

On commençait à craindre qu'il ne fût retourné en Angleterre. On se souvenait de lui avoir entendu dire qu'il aimait fort ce pays-là. Monsieur le prieur et sa sœur étaient persuadés
85 qu'on n'y baptisait personne, et tremblaient pour l'âme de leur neveu. L'évêque était confondu et prêt à s'en retourner ; le prieur et l'abbé de Saint-Yves se désespéraient ; le bailli interrogeait tous les passants avec sa gravité ordinaire. Mlle de Kerkabon pleurait ; Mlle de Saint-Yves ne pleurait pas, mais
90 elle poussait de profonds soupirs qui semblaient témoigner son goût pour les sacrements. Elles se promenaient tristement le long des saules et des roseaux qui bordent la petite rivière de Rance, lorsqu'elles aperçurent au milieu de la rivière une grande figure assez blanche, les deux mains croisées sur la
95 poitrine. Elles jetèrent un grand cri et se détournèrent. Mais, la curiosité l'emportant bientôt sur toute autre considération,

1. **Catéchumène :** celui qui se fait instruire en vue de recevoir le baptême.
2. **Gourmer :** se battre à coups de poing.
3. **Interrogant :** voir p. 64 note 2.

elles se coulèrent doucement entre les roseaux, et quand elles furent bien sûres de n'être point vues, elles voulurent voir de quoi il s'agissait.

CHAPITRE IV

L'INGÉNU BAPTISÉ.

Le prieur et l'abbé, étant accourus, demandèrent à l'Ingénu ce qu'il faisait là. « Eh parbleu ! messieurs, j'attends le baptême. Il y a une heure que je suis dans l'eau jusqu'au cou, et il n'est pas honnête de me laisser morfondre[1].

5 — Mon cher neveu, lui dit tendrement le prieur, ce n'est pas ainsi qu'on baptise en Basse-Bretagne ; reprenez vos habits et venez avec nous. » Mlle de Saint-Yves, en entendant ce discours, disait tout bas à sa compagne : « Mademoiselle, croyez-vous qu'il reprenne sitôt ses habits ? »

10 Le Huron cependant repartit au prieur : « Vous ne m'en ferez pas accroire cette fois-ci comme l'autre ; j'ai bien étudié depuis ce temps-là, et je suis très certain qu'on ne se baptise pas autrement. L'eunuque de la reine Candace[2] fut baptisé dans un ruisseau ; je vous défie de me montrer dans le livre 15 que vous m'avez donné qu'on s'y soit jamais pris d'une autre façon. Je ne serai point baptisé du tout, ou je le serai dans la rivière. » On eut beau lui démontrer que les usages avaient changé, l'Ingénu était têtu, car il était breton et huron. Il revenait toujours à l'eunuque de la reine Candace. Et, 20 quoique mademoiselle sa tante et Mlle de Saint-Yves, qui l'avaient observé entre les saules, fussent en droit de lui dire qu'il ne lui appartenait pas[3] de citer un pareil homme, elles n'en firent pourtant rien ; tant était grande leur discrétion.

---

1. **Se morfondre :** endurer du froid après avoir eu chaud et, par extension, attendre longuement dans l'ennui.
2. Baptisé par Philippe (Actes des Apôtres, VIII, 26-39) dans le cours d'eau qu'ils rencontrèrent.
3. **Qu'il ne lui appartenait pas :** qu'il n'avait aucune raison valable.

L'évêque vint lui-même lui parler, ce qui est beaucoup ; mais
25 il ne gagna rien : le Huron disputa contre l'évêque.

« Montrez-moi, lui dit-il, dans le livre que m'a donné mon oncle, un seul homme qui n'ait pas été baptisé dans la rivière, et je ferai tout ce que vous voudrez. »

La tante, désespérée, avait remarqué que, la première fois
30 que son neveu avait fait la révérence, il en avait fait une plus profonde à Mlle de Saint-Yves qu'à aucune autre personne de la compagnie ; qu'il n'avait pas même salué monsieur l'évêque avec ce respect mêlé de cordialité qu'il avait témoigné à cette belle demoiselle. Elle prit le parti de s'adresser à elle dans ce
35 grand embarras ; elle la pria d'interposer son crédit[1] pour engager le Huron à se faire baptiser de la même manière que les Bretons, ne croyant pas que son neveu pût jamais être chrétien s'il persistait à vouloir être baptisé dans l'eau courante.

Mlle de Saint-Yves rougit du plaisir secret qu'elle sentait
40 d'être chargée d'une si importante commission. Elle s'approcha modestement de l'Ingénu, et, lui serrant la main d'une manière tout à fait noble : « Est-ce que vous ne ferez rien pour moi ? » lui dit-elle ; et, en prononçant ces mots, elle baissait les yeux et les relevait avec une grâce attendrissante.
45 « Ah ! tout ce que vous voudrez, mademoiselle, tout ce que vous me commanderez : baptême d'eau, baptême de feu, baptême de sang[2], il n'y a rien que je vous refuse. » Mlle de Saint-Yves eut la gloire de faire en deux paroles ce que ni les empressements du prieur, ni les interrogations réitérées du
50 bailli, ni les raisonnements même de monsieur l'évêque n'avaient pu faire. Elle sentit son triomphe ; mais elle n'en sentait pas encore toute l'étendue.

Le baptême fut administré et reçu avec toute la décence, toute la magnificence, tout l'agrément possibles. L'oncle et

1. **Interposer son crédit :** faire intervenir son influence.
2. Outre le baptême par l'eau, on a discuté du baptême par le feu (inspiré par saint Luc, III, 16, qui fait dire à Jean-Baptiste : *« Moi, je vous baptise dans l'eau… mais Lui vous baptisera dans l'Esprit-Saint et le feu »*, ce qui donna lieu parfois à des baptêmes par cautérisation) ; enfin le baptême par le sang est celui des martyrs.

la tante cédèrent à M. l'abbé de Saint-Yves et à sa sœur l'honneur de tenir l'Ingénu sur les fonts. Mlle de Saint-Yves rayonnait de joie de se voir marraine. Elle ne savait pas à quoi ce grand titre l'asservissait[1] ; elle accepta cet honneur sans en connaître les fatales conséquences.

Comme il n'y eut jamais de cérémonie qui ne fût suivie d'un grand dîner, on se mit à table au sortir du baptême. Les goguenards[2] de Basse-Bretagne dirent qu'il ne fallait pas baptiser son vin[3]. Monsieur le prieur disait que le vin, selon Salomon, réjouit le cœur de l'homme[4]. Monsieur l'évêque ajoutait que le patriarche Juda devait lier son ânon à la vigne, et tremper son manteau dans le sang du raisin[5], et qu'il était bien triste qu'on n'en pût faire autant en Basse-Bretagne, à laquelle Dieu a dénié[6] les vignes. Chacun tâchait de dire un bon mot sur le baptême de l'Ingénu, et des galanteries à la marraine. Le bailli, toujours interrogant, demandait au Huron s'il serait fidèle à ses promesses. « Comment voulez-vous que je manque à mes promesses, répondit le Huron, puisque je les ai faites entre les mains de Mlle de Saint-Yves ? »

Le Huron s'échauffa ; il but beaucoup à la santé de sa marraine. « Si j'avais été baptisé de votre main, dit-il, je sens que l'eau froide qu'on m'a versée sur le chignon m'aurait brûlé. » Le bailli trouva cela trop poétique, ne sachant pas combien l'allégorie est familière au Canada. Mais la marraine en fut extrêmement contente.

On avait donné le nom d'Hercule au baptisé. L'évêque de Saint-Malo demandait toujours quel était ce patron dont il n'avait jamais entendu parler. Le jésuite, qui était fort savant,

1. Le mariage entre filleul(e) et parrain ou marraine est interdit par l'Église, sauf dispense ; Mlle de Saint-Yves se met sans le savoir dans une position difficile (voir p. 203).
2. **Goguenard :** qui plaisante, qui a coutume de dire des mots pour rire.
3. **Baptiser son vin :** le couper d'eau.
4. Ecclésiaste, XL, 20 : *« Le vin et la musique réjouissent le cœur. »*
5. Genèse, XLIX, 11 : *« Il lie à la vigne son ânon, / Au cep le petit de son ânesse / Il lave son habit dans le vin, / Son manteau dans le sang des raisins. »*
6. **A dénié :** a refusé.

SITUER

Bien qu'elle n'ait pas été absente des deux premiers chapitres, la religion va maintenant prendre le pas sur le reste. Le Huron est simplement habillé, il reste à le convertir et à le baptiser : nous assistons ici à son instruction religieuse.

RÉFLÉCHIR

PERSONNAGES : Breton, Huron et Anglais à la fois

1. Le portrait du héros est complété : relevez les traits physiques et moraux qui lui sont donnés, en vous demandant la signification et la fonction de ces choix.

STRUCTURE : converti par amour

2. Tracez le plan des deux chapitres ; montrez que chaque étape est composée sur le même schéma ; qu'en résulte-t-il ?

3. Un certain nombre d'avertissements sont adressés au lecteur et l'inquiètent pour la suite des événements : étudiez leur place et leur formulation.

THÈMES : la conversion et la grâce

4. À quels éléments le narrateur attribue-t-il successivement les changements du héros ? Quel effet sur le lecteur en attend-il ?

5. Comment s'organisent et se modifient les relations du héros avec Mlles de Kerkabon et de Saint-Yves ?

GENRES : le brio du narrateur

6. La plaisanterie se présente de deux façons : sous la forme explicite de bons mots prononcés par des personnages du roman ; sous la forme d'un comique de situation qui est le fait du narrateur. Précisez la répartition et les fonctions respectives de ces moyens.

7. Étudiez l'art du récit dans l'épisode de la confession (chap. III, p. 73-74, l. 49 à 69).

8. Analysez l'art de l'allusion dans le dernier paragraphe du chapitre IV (p.77 et 80).

ÉCRIRE

« On prit jour avec l'évêque de Saint-Malo » (p. 74, l. 70). Rédigez la lettre du prieur à l'évêque, en prenant en compte le statut et le caractère du personnage.

lui dit que c'était un saint qui avait fait douze miracles. Il y en avait un treizième qui valait les douze autres, mais dont il ne
85 convenait pas à un jésuite de parler ; c'était celui d'avoir changé cinquante filles en femmes en une seule nuit. Un plaisant qui se trouva là releva ce miracle avec énergie. Toutes les dames baissèrent les yeux, et jugèrent à la physionomie de l'Ingénu qu'il était digne du saint dont il portait le nom.

CHAPITRE V

L'INGÉNU AMOUREUX.

Il faut avouer que depuis ce baptême et ce dîner, Mlle de Saint-Yves souhaita passionnément que monsieur l'évêque la fît encore participante de quelque beau sacrement avec M. Hercule l'Ingénu. Cependant, comme elle était bien élevée
5 et fort modeste, elle n'osait convenir tout à fait avec elle-même de ses tendres sentiments ; mais s'il lui échappait un regard, un mot, un geste, une pensée, elle enveloppait tout cela d'un voile de pudeur infiniment aimable. Elle était tendre, vive et sage.

Dès que monsieur l'évêque fut parti, l'Ingénu et Mlle de
10 Saint-Yves se rencontrèrent sans avoir fait réflexion qu'ils se cherchaient. Ils se parlèrent sans avoir imaginé ce qu'ils se diraient. L'Ingénu lui dit d'abord qu'il l'aimait de tout son cœur, et que la belle Abacaba, dont il avait été fou dans son pays, n'approchait pas d'elle. Mademoiselle lui répondit, avec
15 sa modestie ordinaire, qu'il fallait en parler au plus vite à monsieur le prieur son oncle et à mademoiselle sa tante, et que de son côté elle en dirait deux mots à son cher frère l'abbé de Saint-Yves, et qu'elle se flattait d'un consentement commun.

L'Ingénu lui répond qu'il n'avait besoin du consentement
20 de personne ; qu'il lui paraissait extrêmement ridicule d'aller demander à d'autres ce qu'on devait faire ; que, quand deux parties sont d'accord, on n'a pas besoin d'un tiers pour les accommoder[1]. « Je ne consulte personne, dit-il, quand j'ai

1. **Accommoder :** mettre d'accord.

Il n'a pas fallu moins de quatre chapitres pour achever la présentation du héros : son image, constamment retouchée, ne risque-t-elle pas de s'en trouver brouillée ?

PERSONNAGES : un héros simple mais multiple

Ni marionnette ni héros, l'Ingénu bénéficie d'un statut particulier.

1. Le héros possède désormais plusieurs identités. Relevez les divers moyens qui servent à le désigner, en dégageant les raisons qui justifient le choix qui a été fait. (Cette observation restera à faire tout au long du roman.)

2. Étudiez de même les apports « culturels » successifs à sa personnalité. Que veut-on prouver par là ?

3. L'indice de la sauvagerie reste évidemment l'anthropophagie. Comment ce thème est-il abordé ici ? Concluez.

STRATÉGIES : l'Ingénu poli par l'amour

L'amour fait faire de « belles actions » (p. 64, l. 156-157)

4. Étudiez l'entrelacement de l'intrigue amoureuse avec le reste de la narration. Quels sont les effets obtenus ?

5. Comment et sur quoi s'exerce la satire* ?

THÈMES : la religion

6. La religion occupe une place importante dans ces chapitres. Quelle influence exerce-t-elle sur les événements ?

7. Quels sont les éléments de la religion qui ont été retenus ? Quelle est l'image globale de la religion qui s'en dégage ?

GENRES : un roman vraisemblable ?

Cette « histoire véritable » utilise toutes les ficelles du genre.

8. Voltaire se joue ici des conventions romanesques. Dans cette optique, étudiez le traitement de la reconnaissance et de la naissance de l'amour dans ces chapitres.

9. L'exotisme est aussi un composant obligé des romans d'aventures. En quoi Voltaire se conforme-t-il aux lois du genre ? En quoi s'en amuse-t-il ?

envie de déjeuner, ou de chasser, ou de dormir. Je sais bien
25 qu'en amour il n'est pas mal d'avoir le consentement de la personne à qui on en veut ; mais, comme ce n'est ni de mon oncle ni de ma tante que je suis amoureux, ce n'est pas à eux que je dois m'adresser dans cette affaire ; et, si vous m'en croyez, vous vous passerez aussi de M. l'abbé de Saint-Yves. »

30 On peut juger que la belle Bretonne employa toute la délicatesse de son esprit à réduire son Huron aux termes[1] de la bienséance. Elle se fâcha même, et bientôt se radoucit. Enfin on ne sait comment aurait fini cette conversation, si, le jour baissant, monsieur l'abbé n'avait ramené sa sœur à son
35 abbaye. L'Ingénu laissa coucher son oncle et sa tante, qui étaient un peu fatigués de la cérémonie et de leur long dîner. Il passa une partie de la nuit à faire des vers en langue huronne pour sa bien-aimée : car il faut savoir qu'il n'y a aucun pays de la terre où l'amour n'ait rendu les amants poètes.

40 Le lendemain, son oncle lui parla ainsi après le déjeuner, en présence de Mlle Kerkabon, qui était tout attendrie : « Le ciel soit loué de ce que vous avez l'honneur, mon cher neveu, d'être chrétien et bas-breton ! mais cela ne suffit pas ; je suis un peu sur l'âge ; mon frère n'a laissé qu'un petit coin
45 de terre qui est très peu de chose ; j'ai un bon prieuré : si vous voulez seulement vous faire sous-diacre[2], comme je l'espère, je vous résignerai mon prieuré[3], et vous vivrez fort à votre aise, après avoir été la consolation de ma vieillesse. »

L'Ingénu répondit : « Mon oncle, grand bien vous fasse !
50 vivez tant que vous pourrez. Je ne sais pas ce que c'est que d'être sous-diacre ni que de résigner ; mais tout me sera bon pourvu que j'aie Mlle de Saint-Yves à ma disposition. — Eh, mon Dieu ! mon neveu, que me dites-vous là ? Vous aimez donc cette belle demoiselle à la folie ? — Oui, mon oncle.
55 — Hélas ! mon neveu, il est impossible que vous l'épousiez. — Cela est très possible, mon oncle ; car non seulement elle

1. **Réduire aux termes de :** faire consentir à.
2. **Sous-diacre :** l'un des ordres mineurs qui permettent l'accès à la prêtrise (voir p. 71 note 4).
3. **Prieuré :** voir p. 58 note 4.

m'a serré la main en me quittant, mais elle m'a promis qu'elle me demanderait en mariage ; et assurément je l'épouserai. — Cela est impossible, vous dis-je : elle est votre
60 marraine ; c'est un péché épouvantable à une marraine de serrer la main[1] de son filleul ; il n'est pas permis d'épouser sa marraine ; les lois divines et humaines[2] s'y opposent. — Morbleu ! mon oncle, vous vous moquez de moi ; pourquoi serait-il défendu d'épouser sa marraine, quand elle est
65 jeune et jolie ? Je n'ai point vu dans le livre que vous m'avez donné qu'il fût mal d'épouser les filles qui ont aidé les gens à être baptisés. Je m'aperçois tous les jours qu'on fait ici une infinité de choses qui ne sont point dans votre livre, et qu'on n'y fait rien de tout ce qu'il dit. Je vous avoue que cela
70 m'étonne et me fâche. Si on me prive de la belle Saint-Yves sous prétexte de mon baptême, je vous avertis que je l'enlève et que je me débaptise. »

Le prieur fut confondu ; sa sœur pleura. « Mon cher frère, dit-elle, il ne faut pas que notre neveu se damne ; notre
75 saint-père le pape peut lui donner dispense, et alors il pourra être chrétiennement heureux avec ce qu'il aime[3]. » L'Ingénu embrassa sa tante. « Quel est donc, dit-il, cet homme charmant qui favorise avec tant de bonté les garçons et les filles dans leurs amours ? Je veux lui aller parler tout à l'heure. »

80 On lui expliqua ce que c'était que le pape, et l'Ingénu fut encore plus étonné qu'auparavant. « Il n'y a pas un mot de tout cela dans votre livre, mon cher oncle ; j'ai voyagé, je connais la mer ; nous sommes ici sur la côte de l'Océan, et je quitterais Mlle de Saint-Yves pour aller demander la per-
85 mission de l'aimer à un homme qui demeure vers la Médi-

---

1. On dit aussi *serrer la main à quelqu'un* pour dire « lui donner un témoignage d'amitié » (Dictionnaire de Furetière) ; « donner la main » peut signifier « épouser ».
2. Ce sont en réalité les recommandations de l'Église qui interdisent le mariage entre parrain, marraine et filleul(e) ; au XVIIe siècle, de nombreuses dispenses étaient données par l'Église (voir p. 203).
3. Dans la tradition galante, il est élégant de désigner par le neutre *ce que* la personne aimée.

terranée, à quatre cents lieues d'ici, et dont je n'entends point la langue ! Cela est d'un ridicule incompréhensible ! Je vais sur-le-champ chez M. l'abbé de Saint-Yves, qui ne demeure qu'à une lieue de vous, et je vous réponds que
90 j'épouserai ma maîtresse dans la journée. »

Comme il parlait encore, entra le bailli, qui, selon sa coutume, lui demanda où il allait. « Je vais me marier », dit l'Ingénu en courant ; et au bout d'un quart d'heure il était déjà chez sa belle et chère Basse-Brette, qui dormait encore.
95 « Ah ! mon frère, disait Mlle de Kerkabon au prieur, jamais vous ne ferez un sous-diacre de notre neveu. »

Le bailli fut très mécontent de ce voyage : car il prétendait que son fils épousât la Saint-Yves ; et ce fils était encore plus sot et plus insupportable que son père.

CHAPITRE VI

L'INGÉNU COURT CHEZ SA MAÎTRESSE, ET DEVIENT FURIEUX.

À peine l'Ingénu était arrivé, qu'ayant demandé à une vieille servante où était la chambre de sa maîtresse, il avait poussé fortement la porte mal fermée et s'était élancé vers le lit. Mlle de Saint-Yves, se réveillant en sursaut, s'était écriée :
5 « Quoi ! c'est vous ! ah ! c'est vous ! arrêtez-vous, que faites-vous ? » Il avait répondu : « Je vous épouse » ; et en effet il l'épousait, si elle ne s'était pas débattue avec toute l'honnêteté d'une personne qui a de l'éducation.

L'Ingénu n'entendait pas raillerie[1] ; il trouvait toutes ces
10 façons-là extrêmement impertinentes[2]. « Ce n'était pas ainsi qu'en usait Mlle Abacaba, ma première maîtresse ; vous n'avez point de probité[3], vous m'avez promis mariage, et

1. **N'entendait pas raillerie :** ne plaisantait pas.
2. **Impertinentes :** qui ne conviennent pas, déplacées.
3. **Probité :** honnêteté, ici respect de la parole donnée.

vous ne voulez point faire mariage : c'est manquer aux premières lois de l'honneur ; je vous apprendrai à tenir votre parole, et je vous remettrai dans le chemin de la vertu. »

15 L'Ingénu possédait une vertu mâle et intrépide, digne de son patron Hercule, dont on lui avait donné le nom à son baptême ; il allait l'exercer dans toute son étendue, lorsqu'aux cris perçants de la demoiselle plus discrètement vertueuse accourut le sage abbé de Saint-Yves, avec sa 20 gouvernante, un vieux domestique dévot et un prêtre de la paroisse. Cette vue modéra le courage de l'assaillant. « Eh, mon Dieu ! mon cher voisin, lui dit l'abbé, que faites-vous là ? — Mon devoir, répliqua le jeune homme ; je remplis mes promesses, qui sont sacrées. »

25 Mlle de Saint-Yves se rajusta en rougissant. On emmena l'Ingénu dans un autre appartement. L'abbé lui remontra l'énormité du procédé. L'Ingénu se défendit sur les privilèges de la loi naturelle[1], qu'il connaissait parfaitement. L'abbé voulut prouver que la loi positive devait avoir tout l'avantage, 30 et que, sans les conventions faites entre les hommes, la loi de nature ne serait presque jamais qu'un brigandage naturel. « Il faut, lui disait-il, des notaires, des prêtres, des témoins, des contrats, des dispenses. » L'Ingénu lui répondit par la réflexion que les sauvages ont toujours faite : « Vous êtes 35 donc de bien malhonnêtes gens, puisqu'il faut entre vous tant de précautions. »

L'abbé eut de la peine à résoudre cette difficulté. « Il y a, dit-il, je l'avoue, beaucoup d'inconstants et de fripons parmi nous, et il y en aurait autant chez les Hurons s'ils étaient 40 rassemblés dans une grande ville ; mais aussi il y a des âmes sages, honnêtes, éclairées, et ce sont ces hommes-là qui ont fait les lois. Plus on est homme de bien, plus on doit s'y soumettre ; on donne l'exemple aux vicieux, qui respectent un frein que la vertu s'est donné elle-même. »

1. **Loi naturelle :** les sentiments moraux et les principes de justice qui règnent entre les hommes, indépendamment de la loi écrite. Cette dernière est la *loi positive*.

45 Cette réponse frappa l'Ingénu. On a déjà remarqué qu'il avait l'esprit juste. On l'adoucit par des paroles flatteuses ; on lui donna des espérances : ce sont les deux pièges où les hommes des deux hémisphères se prennent ; on lui présenta même Mlle de Saint-Yves, quand elle eut fait sa toilette[1]. Tout 50 se passa avec la plus grande bienséance. Mais, malgré cette décence, les yeux étincelants de l'Ingénu Hercule firent toujours baisser ceux de sa maîtresse, et trembler la compagnie.

On eut une peine extrême à le renvoyer chez ses parents. Il fallut encore employer le crédit de la belle Saint-Yves ; plus 55 elle sentait son pouvoir sur lui, et plus elle l'aimait. Elle le fit partir, et en fut très affligée ; enfin, quand il fut parti, l'abbé, qui non seulement était le frère très aîné de Mlle de Saint-Yves, mais qui était aussi son tuteur, prit le parti de soustraire sa pupille[2] aux empressements de cet amant redoutable. Il 60 alla consulter le bailli, qui, destinant toujours son fils à la sœur de l'abbé, lui conseilla de mettre la pauvre fille dans une communauté[3]. Ce fut un coup terrible : une indifférente qu'on mettrait au couvent jetterait les hauts cris ; mais une amante, et une amante aussi sage que tendre, c'était de quoi 65 la mettre au désespoir.

L'Ingénu, de retour chez le prieur, raconta tout avec sa naïveté ordinaire. Il essuya les mêmes remontrances, qui firent quelque effet sur son esprit, et aucun sur ses sens ; mais le lendemain, quand il voulut retourner chez sa belle 70 maîtresse pour raisonner avec elle sur la loi naturelle et sur la loi de convention, monsieur le bailli lui apprit avec une joie insultante qu'elle était dans un couvent. « Eh bien ! dit-il, j'irai raisonner dans ce couvent.

— Cela ne se peut », dit le bailli. Il lui expliqua fort au 75 long ce que c'était qu'un couvent ou un convent ; que ce mot venait du latin *conventus*, qui signifie assemblée ; et le Huron ne pouvait comprendre pourquoi il ne pouvait pas

1. **Eut fait sa toilette :** se fut habillée.
2. **Pupille** : orphelin mineur placé sous la garde d'un tuteur.
3. **Une communauté :** un couvent de religieuses.

SITUER

Alors que le roman adopte au chapitre V le sujet de la comédie où un empêchement est mis au mariage des jeunes et sympathiques héros, la scène scabreuse du chapitre VI n'a pas de modèle dans le roman traditionnel.

RÉFLÉCHIR

PERSONNAGES ET SOCIÉTÉ : la condition féminine

1. Que faut-il penser du rôle de Mlle de Saint-Yves dans ces chapitres ?

2. Incidemment se trouve abordé le thème du couvent où l'on enferme les filles. Quelles sont les idées de Voltaire sur ce point ?

3. Quelle est la nature des obstacles mis au mariage du héros ? Que pensez-vous de leur validité ?

THÈMES : la loi, la nature, le naturel

4. Donnez des exemples de méprises faites sur les mots et les valeurs conventionnelles qu'ils recouvrent. Ces « jeux de mots », destinés au lecteur, doivent nous faire réfléchir : à quoi ? pourquoi ?

5. Analysez les diverses variations sur le mot « loi ». Résumez les termes du débat.

STRATÉGIES : la suggestion

6. Comment Voltaire s'y est-il pris pour orienter l'opinion du lecteur ? Dans cet épisode, le héros perd-il notre sympathie ?

7. Distinguez les passages avec et sans intervention du narrateur. Y a-t-il un rapport entre cette présence (ou cette absence) du narrateur et les idées traitées ?

8. Quelles sont les opinions que Voltaire veut suggérer à son lecteur sur le plan des lois morales et civiles ?

REGISTRES ET TONALITÉS : toujours le badinage

9. Quels sont les moyens utilisés pour garder à la scène sa décence ?

10. Une fois encore, l'équivoque se trouve souvent concrétisée dans les mots. Étudiez, de ce point de vue, les différents emplois du mot « vertu » dans le chapitre.

ÉCRIRE

11. Inventez une anecdote reposant sur un quiproquo, spécialement sur un mot pris à la lettre.

être admis dans l'assemblée. Sitôt qu'il fut instruit que cette assemblée était une espèce de prison où l'on tenait les filles renfermées, chose horrible, inconnue chez les Hurons et
80 chez les Anglais, il devint aussi furieux que le fut son patron Hercule lorsque Euryte[1], roi d'Œchalie, non moins cruel que l'abbé de Saint-Yves, lui refusa la belle Iole sa fille, non moins belle que la sœur de l'abbé. Il voulait aller mettre le feu au couvent, enlever sa maîtresse, ou se brûler avec elle. Mlle de
85 Kerkabon, épouvantée, renonçait plus que jamais à toutes les espérances de voir son neveu sous-diacre, et disait en pleurant qu'il avait le diable au corps depuis qu'il était baptisé.

CHAPITRE VII

L'INGÉNU REPOUSSE LES ANGLAIS.

L'Ingénu, plongé dans une sombre et profonde mélancolie, se promena vers le bord de la mer, son fusil à deux coups sur l'épaule, son grand coutelas au côté, tirant de temps en temps sur quelques oiseaux, et souvent tenté de tirer sur lui-
5 même ; mais il aimait encore la vie, à cause de Mlle de Saint-Yves. Tantôt il maudissait son oncle, sa tante, et toute la Basse-Bretagne, et son baptême ; tantôt il les bénissait puisqu'ils lui avaient fait connaître celle qu'il aimait. Il prenait sa résolution d'aller brûler le couvent, et il s'arrêtait
10 tout court, de peur de brûler sa maîtresse. Les flots de la Manche ne sont pas plus agités par les vents d'est et d'ouest que son cœur l'était par tant de mouvements contraires.

Il marchait à grands pas, sans savoir où, lorsqu'il entendit le son du tambour. Il vit de loin tout un peuple[2] dont une
15 moitié courait au rivage, et l'autre s'enfuyait.

Mille cris s'élèvent de tous côtés ; la curiosité et le courage le précipitent à l'instant vers l'endroit d'où partaient

1. Dans la mythologie, habile archer, maître d'Hercule.
2. **Un peuple :** une foule.

ces clameurs ; il y vole en quatre bonds. Le commandant de la milice[1], qui avait soupé avec lui chez le prieur, le reconnut
20 aussitôt ; il court à lui, les bras ouverts : « Ah ! c'est l'Ingénu, il combattra pour nous. » Et les milices[2], qui mouraient de peur, se rassurèrent et crièrent aussi : « C'est l'Ingénu ! c'est l'Ingénu ! »

« Messieurs, dit-il, de quoi s'agit-il ? Pourquoi êtes-vous
25 si effarés ? A-t-on mis vos maîtresses dans des couvents ? » Alors cent voix confuses s'écrient : « Ne voyez-vous pas les Anglais qui abordent ? — Eh bien ! répliqua le Huron, ce sont de braves gens ; ils ne m'ont jamais proposé de me faire sous-diacre ; ils ne m'ont point enlevé ma maîtresse. »

30 Le commandant lui fit entendre que les Anglais venaient piller l'abbaye de la Montagne, boire le vin de son oncle, et peut-être enlever Mlle de Saint-Yves ; que le petit vaisseau sur lequel il avait abordé en Bretagne n'était venu que pour reconnaître la côte ; qu'ils faisaient des actes d'hostilité sans
35 avoir déclaré la guerre au roi de France, et que la province était exposée. « Ah ! si cela est, ils violent la loi naturelle ; laissez-moi faire ; j'ai demeuré longtemps parmi eux, je sais leur langue, je leur parlerai ; je ne crois pas qu'ils puissent avoir un si méchant dessein. »

40 Pendant cette conversation, l'escadre anglaise approchait ; voilà le Huron qui court vers elle, se jette dans un petit bateau, arrive, monte au vaisseau amiral, et demande s'il est vrai qu'ils viennent ravager le pays sans avoir déclaré la guerre honnêtement. L'amiral et tout son bord[3] firent de grands
45 éclats de rire, lui firent boire du punch, et le renvoyèrent.

L'Ingénu, piqué, ne songea plus qu'à se bien battre contre ses anciens amis, pour ses compatriotes et pour monsieur le prieur. Les gentilshommes du voisinage accouraient de toutes parts : il se joint à eux ; on avait quelques
50 canons ; il les charge, il les pointe, il les tire l'un après l'autre.

1. **Milice** : troupe de volontaires.
2. **Les milices :** les miliciens.
3. **Son bord :** tous ceux qui sont à bord du vaisseau.

Les Anglais débarquent ; il court à eux, il en tue trois de sa main, il blesse même l'amiral qui s'était moqué de lui. Sa valeur anime le courage de toute la milice ; les Anglais se rembarquent, et toute la côte retentissait des cris de 55 victoire : « Vive le roi ! vive l'Ingénu ! » Chacun l'embrassait, chacun s'empressait d'étancher le sang de quelques blessures légères qu'il avait reçues. « Ah ! disait-il, si Mlle de Saint-Yves était là, elle me mettrait une compresse. »

Le bailli, qui s'était caché dans sa cave pendant le combat, 60 vint lui faire compliment comme les autres. Mais il fut bien surpris quand il entendit Hercule l'Ingénu dire à une douzaine de jeunes gens de bonne volonté, dont il était entouré : « Mes amis, ce n'est rien d'avoir délivré l'abbaye de la Montagne ; il faut délivrer une fille. » Toute cette bouillante jeunesse prit feu 65 à ces seules paroles. On le suivait déjà en foule, on courait au couvent. Si le bailli n'avait pas sur-le-champ averti le commandant, si on n'avait pas couru après la troupe joyeuse, c'en était fait. On ramena l'Ingénu chez son oncle et sa tante, qui le baignèrent de larmes de joie et de tendresse.

70 « Je vois bien que vous ne serez jamais ni sous-diacre, ni prieur, lui dit l'oncle ; vous serez un officier encore plus brave que mon frère le capitaine, et probablement aussi gueux[1]. » Et Mlle de Kerkabon pleurait toujours en l'embrassant, et en disant : « Il se fera tuer comme mon 75 frère ; il vaudrait bien mieux qu'il fût sous-diacre. »

L'Ingénu, dans le combat, avait ramassé une grosse bourse remplie de guinées[2], que probablement l'amiral avait laissée tomber. Il ne douta pas qu'avec cette bourse il ne pût acheter toute la Basse-Bretagne, et surtout faire Mlle de 80 Saint-Yves grande dame. Chacun l'exhorta de faire le voyage de Versailles, pour y recevoir le prix de ses services. Le commandant, les principaux officiers, le comblèrent de certificats[3]. L'oncle et la tante approuvèrent le voyage du

1. **Gueux** : pauvre.
2. Monnaie anglaise.
3. De bonne conduite au combat.

SITUER

L'amour et la prouesse sont toujours liés dans le roman héroïque*. Ce sera cependant le seul passage de *L'Ingénu* où il sera question de la guerre, et encore ne peut-on parler que d'escarmouche. Mais cela suffira pour justifier un changement profond de la scène qui se déplace maintenant vers Versailles.

RÉFLÉCHIR

THÈMES : la guerre en dentelles

1. Alors qu'il a écrit ailleurs de violentes condamnations de la guerre, Voltaire semble ici traiter ce thème de manière bien plus anodine. Comment s'y prend-il et pourquoi ?

2. Comment se trouve composé le chapitre ? Étudiez les ressemblances et les différences entre les deux entreprises de l'Ingénu : quelles significations faut-il déduire de ce parallèle ?

PERSONNAGES : chacun pour soi

3. Quels sont les motifs (implicites et explicites) qui amènent l'Ingénu à se battre ? Quels traits de son caractère sont ainsi précisés ?

4. Quelles sont les motivations des différents acteurs de la scène pour envoyer l'Ingénu à Versailles ?

GENRES : l'art du récit rapide

5. Étudiez les procédés qui permettent l'accélération du récit dans ce chapitre.

6. Analysez le retour d'un certain nombre d'éléments qui apparaissaient déjà dans les chapitres précédents et interrogez-vous sur la fonction de ces reprises.

ÉCRIRE

7. Composez un récit où vous mettrez en œuvre les procédés d'accélération repérés ici : présent de narration, phrases nominales, accumulations, etc.

neveu. Il devait être, sans difficulté, présenté au roi : cela seul
85 lui donnerait un prodigieux relief dans la province. Ces deux bonnes gens ajoutèrent à la bourse anglaise un présent considérable de leurs épargnes. L'Ingénu disait en lui-même : « Quand je verrai le roi, je lui demanderai Mlle de Saint-Yves en mariage, et certainement il ne me refusera pas. » Il partit
90 donc aux acclamations de tout le canton, étouffé d'embrassements, baigné des larmes de sa tante, béni par son oncle, et se recommandant à la belle Saint-Yves.

CHAPITRE VIII

L'INGÉNU VA EN COUR. IL SOUPE EN CHEMIN AVEC DES HUGUENOTS.

L'Ingénu prit le chemin de Saumur par le coche[1], parce qu'il n'y avait point alors d'autre commodité. Quand il fut à Saumur, il s'étonna de trouver la ville presque déserte, et de voir plusieurs familles qui déménageaient. On lui dit que, six
5 ans auparavant, Saumur contenait plus de quinze mille âmes, et qu'à présent il n'y en avait pas six mille. Il ne manqua pas d'en parler à souper dans son hôtellerie. Plusieurs protestants étaient à table : les uns se plaignaient amèrement, d'autres frémissaient de colère, d'autres disaient en pleurant : *Nos*
10 *dulcia linquimus arva, nos patriam fugimus*[2]. L'Ingénu, qui ne savait pas le latin, se fit expliquer ces paroles, qui signifient : « Nous abandonnons nos douces campagnes, nous fuyons notre patrie. »

« Et pourquoi fuyez-vous votre patrie, messieurs ?
15 — C'est qu'on veut que nous reconnaissions le pape. — Et pourquoi ne le reconnaîtriez-vous pas ? Vous n'avez donc point de marraines que vous vouliez épouser ? car on m'a dit

1. **Coche :** « on appelait anciennement les carrosses de ce nom ». (Supplément au *Dictionnaire* de Féraud.)
2. Virgile, *Bucoliques*, 1re Églogue, v. 3.

que c'était lui qui en donnait la permission. — Ah ! monsieur, ce pape dit qu'il est le maître du domaine des rois ! — Mais, messieurs, de quelle profession êtes-vous ?
20 — Monsieur, nous sommes pour la plupart des drapiers et des fabricants. — Si votre pape dit qu'il est le maître de vos draps et de vos fabriques, vous faites très bien de ne le pas reconnaître ; mais pour les rois, c'est leur affaire : de quoi vous mêlez-vous ? » Alors un petit homme noir prit la
25 parole, et exposa très savamment les griefs[1] de la compagnie. Il parla de la révocation de l'édit de Nantes[2] avec tant d'énergie, il déplora d'une manière si pathétique le sort de cinquante mille familles fugitives et de cinquante mille autres converties par les dragons[3], que l'Ingénu à son tour versa des
30 larmes. « D'où vient donc, disait-il, qu'un si grand roi, dont la gloire s'étend jusque chez les Hurons, se prive ainsi de tant de cœurs qui l'auraient aimé, et de tant de bras qui l'auraient servi ?

— C'est qu'on l'a trompé comme les autres grands rois,
35 répondit l'homme noir. On lui a fait croire que, dès qu'il aurait dit un mot, tous les hommes penseraient comme lui, et qu'il nous ferait changer de religion, comme son musicien Lulli[4] fait changer en un moment les décorations de ses opéras. Non seulement il perd déjà cinq à six cent mille
40 sujets très utiles, mais il s'en fait des ennemis ; et le roi Guillaume, qui est actuellement maître de l'Angleterre[5], a composé plusieurs régiments de ces mêmes Français qui auraient combattu pour leur monarque.

Un tel désastre est d'autant plus étonnant que le pape
45 régnant, à qui Louis XIV sacrifie une partie de son peuple, est son ennemi déclaré. Ils ont encore tous deux, depuis neuf

1. **Griefs :** motifs de plainte.
2. L'édit de Nantes (1598) avait été révoqué en 1685, ce qui supprimait tous les avantages accordés par Henri IV aux protestants.
3. **Dragons :** troupes responsables des dragonnades (voir p. 174).
4. **Jean-Baptiste Lully** (1632-1687) **:** surintendant de la musique et créateur de l'opéra français (voir p. 224).
5. Guillaume III, roi d'Angleterre en 1689 (voir p. 223).

ans, une querelle violente[1]. Elle a été poussée si loin que la France a espéré enfin de voir briser le joug qui la soumet
50 depuis tant de siècles à cet étranger, et surtout de ne lui plus donner d'argent, ce qui est le premier mobile des affaires de ce monde. Il paraît donc évident qu'on a trompé ce grand roi sur ses intérêts comme sur l'étendue de son pouvoir, et qu'on a donné atteinte à la magnanimité de son cœur. »

55 L'Ingénu, attendri de plus en plus, demanda quels étaient les Français qui trompaient ainsi un monarque si cher aux Hurons. « Ce sont les jésuites, lui répondit-on ; c'est surtout le père de La Chaise, confesseur de Sa Majesté. Il faut espérer que Dieu les en punira un jour, et qu'ils seront chassés
60 comme ils nous chassent. Y a-t-il un malheur égal aux nôtres ? Mons[2] de Louvois[3] nous envoie de tous côtés des jésuites et des dragons.

— Oh bien ! messieurs, répliqua l'Ingénu, qui ne pouvait plus se contenir, je vais à Versailles recevoir la récompense
65 due à mes services ; je parlerai à ce mons de Louvois : on m'a dit que c'est lui qui fait la guerre, de son cabinet. Je verrai le roi, je lui ferai connaître la vérité ; il est impossible qu'on ne se rende pas à cette vérité quand on la sent. Je reviendrai bientôt pour épouser Mlle de Saint-Yves, et je vous prie à la
70 noce. » Ces bonnes gens le prirent alors pour un grand seigneur qui voyageait *incognito*[4] par le coche. Quelques-uns le prirent pour le fou du roi.

---

1. Louis XIV eut de fréquents démêlés avec la papauté, notamment au sujet des libertés de l'Église gallicane, mais c'est ici une allusion au problème de la régale, envenimé à partir de 1680. La régale donnait aux rois de France le droit de toucher les revenus des évêchés vacants et de désigner, dans le même temps, les titulaires des bénéfices ecclésiastiques qui en dépendaient.
2. **Mons :** (on prononce l'*s*) c'est une manière cavalière et méprisante de prononcer le nom de *monsieur* en l'abrégeant (Suppl. au *Dictionnaire* de Féraud).
3. **Louvois :** secrétaire d'État à la Guerre de Louis XIV.
4. ***Incognito* :** en faisant en sorte de ne pas être reconnu (mot emprunté à l'italien, de là les italiques).

SITUER

Selon la procédure habituelle du roman en forme de voyage, le héros est confronté à diverses expériences : ici, il est amené à s'intéresser au sort des protestants français après la révocation de l'édit de Nantes.

RÉFLÉCHIR

QUI PARLE ? QUI VOIT ? Conversation avec des anonymes

1. Pourquoi le débat prend-il la forme d'une conversation ? Quels effets Voltaire peut-il en tirer ?

2. Quel rôle jouent dans ce développement :

– la citation de Virgile et sa traduction française ?

– l'emploi du discours indirect, dont on observera les diverses formes et les articulations avec la narration ou les autres discours rapportés ?

– la peinture des réactions successives de l'Ingénu ?

STRATÉGIES : les mots et les choses

3. Le mot « huguenots », déjà utilisé au chapitre I (p. 63, l. 124), est employé dans le titre, alors que le texte lui-même ne contient que « protestants ». Quelles sont les valeurs respectives des deux termes ?

4. Que faut-il penser des arguments présentés par les uns et les autres ? Sont-ils justes ? Quels principes ou quelles notions remettent-ils en question ?

5. La couleur locale : comment se trouve suggérée l'actualité des événements ? Sont-ils tous datables ? Lesquels semblent être de tous les temps ?

THÈMES : la tolérance

6. Pourquoi ce mot n'est-il pas prononcé ? Quels sont pourtant les arguments en sa faveur qui sont utilisés ?

7. La figure du roi : quelle image du souverain se trouve esquissée ici ? Par qui ? S'agit-il bien de Louis XIV et uniquement de lui (voir p. 171-172) ?

ÉCRIRE

8. Construisez un dialogue argumenté pour la défense de la tolérance.

Il y avait à table un jésuite déguisé qui servait d'espion au révérend père de La Chaise. Il lui rendait compte de tout, et 75 le père de La Chaise en instruisait mons de Louvois. L'espion écrivit. L'Ingénu et la lettre arrivèrent presque en même temps à Versailles.

CHAPITRE IX

ARRIVÉE DE L'INGÉNU À VERSAILLES. SA RÉCEPTION À LA COUR.

L'Ingénu débarque en pot de chambre[1] dans la cour des cuisines. Il demande aux porteurs de chaise à quelle heure on peut voir le roi. Les porteurs lui rient au nez, tout comme avait fait l'amiral anglais. Il les traita de même, il les battit ; 5 ils voulurent le lui rendre, et la scène allait être sanglante s'il n'eût passé un garde du corps[2], gentilhomme breton, qui écarta la canaille[3]. « Monsieur, lui dit le voyageur, vous me paraissez un brave homme ; je suis le neveu de M. le prieur de Notre-Dame de la Montagne ; j'ai tué des Anglais, je 10 viens parler au roi : je vous prie de me mener dans sa chambre. » Le garde, ravi de trouver un brave de sa province, qui ne paraissait pas au fait des usages de la cour, lui apprit qu'on ne parlait pas ainsi au roi, et qu'il fallait être présenté par Mgr de Louvois. « Eh bien ! menez-moi donc chez ce 15 Mgr de Louvois, qui sans doute me conduira chez Sa Majesté. — Il est encore plus difficile, répliqua le garde, de parler à Mgr de Louvois qu'à Sa Majesté. Mais je vais vous conduire chez M. Alexandre[4], le premier commis de la

1. **Pot de chambre :** nom donné à une sorte de calèche ; comme l'explique la note de Voltaire, elle n'a que deux roues et sa forme est évocatrice.
2. **Garde du corps** : soldat appartenant à l'une des quatre compagnies de cavalerie qui servent à garder le roi.
3. **La canaille :** « se dit de la populace, des gens qui n'ont ni naissance, ni bien, ni courage » (Dictionnaire de Furetière).
4. Personnage historique, premier commis, c'est-à-dire haut fonctionnaire au ministère de la Guerre.

guerre : c'est comme si vous parliez au ministre. » Ils vont donc chez ce M. Alexandre, premier commis, et ils ne purent être introduits ; il était en affaire[1] avec une dame de la cour, et il y avait ordre de ne laisser entrer personne. « Eh bien ! dit le garde, il n'y a rien de perdu ; allons chez le premier commis de M. Alexandre : c'est comme si vous parliez à M. Alexandre lui-même. »

Le Huron, tout étonné, le suit ; ils restent ensemble une demi-heure dans une petite antichambre. « Qu'est-ce donc que tout ceci ? dit l'Ingénu ; est-ce que tout le monde est invisible dans ce pays-ci ? Il est bien plus aisé de se battre en Basse-Bretagne contre les Anglais que de rencontrer à Versailles les gens à qui on a affaire. » Il se désennuya[2] en racontant ses amours à son compatriote. Mais l'heure, en sonnant, rappela le garde du corps à son poste. Ils se promirent de se revoir le lendemain ; et l'Ingénu resta encore une autre demi-heure dans l'antichambre, en rêvant à Mlle de Saint-Yves, et à la difficulté de parler aux rois et aux premiers commis.

Enfin le patron parut. « Monsieur, lui dit l'Ingénu, si j'avais attendu pour repousser les Anglais aussi longtemps que vous m'avez fait attendre mon audience, ils ravageraient actuellement la Basse-Bretagne tout à leur aise. » Ces paroles frappèrent le commis. Il dit enfin au Breton : « Que demandez-vous ? — Récompense, dit l'autre ; voici les titres. » Il lui étala tous ses certificats. Le commis lut, et lui dit que probablement on lui accorderait la permission d'acheter une lieutenance[3]. « Moi ! que je donne de l'argent pour avoir repoussé les Anglais ! que je paye le droit de me faire tuer pour vous, pendant que vous donnez ici vos audiences tranquillement ? Je crois que vous voulez rire. Je veux une

1. Le mot est ambigu, car il se dit aussi des divertissements : il a *une affaire de cœur*, pour dire qu'il est engagé d'amour avec quelque personne.
2. **Désennuyer :** empêcher qu'on ne trouve le temps trop long par quelque divertissement ou occupation.
3. Dans la cavalerie, on achetait la charge de lieutenant, ou *lieutenance*, qui permettait de commander une compagnie.

50 compagnie de cavalerie pour rien. Je veux que le roi fasse sortir Mlle de Saint-Yves du couvent, et qu'il me la donne par mariage. Je veux parler au roi en faveur de cinquante mille familles que je prétends lui rendre. En un mot, je veux être utile : qu'on m'emploie et qu'on m'avance[1].

55 — Comment vous nommez-vous, monsieur, qui parlez si haut ? — Oh ! oh ! reprit l'Ingénu, vous n'avez donc pas lu mes certificats ? C'est donc ainsi qu'on en use ? Je m'appelle Hercule de Kerkabon ; je suis baptisé, je loge au Cadran bleu[2], et je me plaindrai de vous au roi. » Le commis 60 conclut, comme les gens de Saumur, qu'il n'avait pas la tête bien saine, et n'y fit pas grande attention.

Ce même jour, le révérend père de La Chaise, confesseur de Louis XIV, avait reçu la lettre de son espion, qui accusait le Breton Kerkabon de favoriser dans son cœur les huguenots, et 65 de condamner la conduite des jésuites. M. de Louvois, de son côté, avait reçu une lettre de l'interrogant bailli, qui dépeignait l'Ingénu comme un garnement qui voulait brûler les couvents et enlever les filles.

L'Ingénu, après s'être promené dans les jardins de Versailles, 70 où il s'ennuya, après avoir soupé en Huron et en Bas-Breton, s'était couché dans la douce espérance de voir le roi le lendemain, d'obtenir Mlle de Saint-Yves en mariage, d'avoir au moins une compagnie de cavalerie, et de faire cesser la persécution contre les huguenots. Il se berçait de ces flatteuses idées, 75 quand la maréchaussée[3] entra dans sa chambre. Elle se saisit d'abord de son fusil à deux coups et de son grand sabre.

On fit un inventaire de son argent comptant, et on le mena dans le château que fit construire le roi Charles V, fils de Jean II, auprès de la rue Saint-Antoine, à la porte des 80 Tournelles[4].

1. **Et qu'on m'avance :** et qu'on me procure de l'avancement.
2. Enseigne d'auberge.
3. **La maréchaussée :** corps de cavalerie chargé de l'ordre public, remplacé en 1790 par la gendarmerie.
4. Cette longue périphrase désigne… la prison de la Bastille.

SITUER

Le héros n'a guère le temps de voir Versailles ni Paris : il est expédié directement à la Bastille.

RÉFLÉCHIR

GENRES : récit d'une « réception à la cour »

1. Le premier épisode conduit l'Ingénu dans les bureaux. Sur quelles techniques est fondé le récit dans les deuxième et troisième paragraphes du chapitre ?

2. Le récit d'action : le texte s'ouvre et se ferme par une bagarre. Étudiez la technique de l'animation et de la vivacité de la narration.

3. Mettez en rapport ces épisodes et le titre du chapitre. Qu'en concluez-vous ?

SOCIÉTÉ : Louvois et les jésuites

4. L'Administration centralisée et toute-puissante : quelle est la fonction des répétitions dans le récit des démêlés de l'Ingénu avec elle ?

5. Police et délation : tout converge finalement entre les mains d'une véritable puissance occulte. Laquelle ? Pourquoi ?

STRATÉGIES : « L'État, c'est moi » (Louis XIV)

6. Comment se trouvent dévaluées aux yeux du lecteur la police et l'administration de l'État ?

7. Cependant, la hardiesse de la critique n'est-elle pas délibérément limitée ? Pourquoi (voir p. 14) et comment ?

8. Quelles sont les fautes de l'Ingénu ? Le lecteur le juge-t-il coupable ? Quelles condamnations nous paraît-il devoir encourir ?

9. Étudiez la forme et la fonction des comparaisons dans ce chapitre, et plus particulièrement les emplois de « comme ».

10. Étudiez, dans l'épisode de l'arrestation (l. 69 à 99), les termes désignant les protagonistes* et les lieux. Quels points de vue sont suggérés par ces désignations ?

La première partie du roman s'achève avec l'emprisonnement du héros. Ce sont donc ses derniers actes d'homme libre qu'il importe d'examiner.

STRUCTURE : de mal en pis

Le héros des premiers chapitres est-il de taille à affronter les règles de ce nouveau monde ? Les attentes du lecteur pourraient bien être déçues.

1. Comment les chapitres V, VI et VII mettent-ils l'accent sur le romanesque ? Quelle est la conséquence sur le récit ?

2. Quels sentiments éprouve le lecteur voyant partir l'Ingénu pour Versailles ? À quoi nous attendons-nous légitimement ?

SOCIÉTÉ : la province et la cour

Comme le Persan de Montesquieu, l'Ingénu jette un regard aussi décapant qu'innocent sur les deux mondes qu'il découvre.

3. Comment est composé le monde provincial présenté ici par Voltaire ? Quelle image de la société en tirons-nous ?

4. Quelle est la vision qu'offre Versailles à l'Ingénu ?

5. Quelles sont les analogies et les différences entre la Basse-Bretagne, Saumur et Versailles ?

PERSONNAGES : un héros dérangeant

L'Ingénu suscite des sentiments divers tant de la part des autres personnages que chez le lecteur ; il sert de révélateur.

6. Comment s'organisent les sympathies du lecteur envers les différents personnages du roman aperçus jusque-là ?

7. Quels sont les sentiments prêtés aux divers protagonistes à l'endroit du héros ?

8. Quelle est l'image résultante que nous nous faisons à ce moment du héros ? Nous paraît-il plutôt Huron, Bas-Breton ou Ingénu ? A-t-il changé depuis son baptême ? Que faut-il en conclure sur les vrais fondements de la personnalité ?

STRATÉGIES : réflexions sur le monde

Le texte devient progressivement « philosophique ».

9. Quelle est la place et l'importance de la religion dans l'ensemble des événements survenus jusqu'ici ? Que suggère Voltaire sur son immixtion dans ces événements ?

10. Quelles certitudes l'arrivée de l'Ingénu a-t-elle ébranlées ?

ÉCRIRE

11. Vous rapporterez, dans un récit à la première personne, le regard étonné que porte un naïf sur un objet né du progrès technologique.

Quel était en chemin l'étonnement de l'Ingénu, je vous le laisse à penser. Il crut d'abord que c'était un rêve. Il resta dans l'engourdissement ; puis tout à coup, transporté d'une fureur qui redoublait ses forces, il prend à la gorge deux de ses conducteurs qui étaient avec lui dans le carrosse, les jette par la portière, se jette après eux, et entraîne le troisième, qui voulait le retenir. Il tombe de l'effort, on le lie, on le remonte dans la voiture. « Voilà donc, disait-il, ce que l'on gagne à chasser les Anglais de la Basse-Bretagne ! Que dirais-tu, belle Saint-Yves, si tu me voyais dans cet état ? »

On arrive enfin au gîte qui lui était destiné. On le porte en silence dans la chambre où il devait être enfermé, comme un mort qu'on porte dans un cimetière. Cette chambre était déjà occupée par un vieux solitaire de Port-Royal[1], nommé Gordon[2], qui y languissait depuis deux ans. « Tenez, lui dit le chef des sbires[3], voilà de la compagnie que je vous amène » ; et sur-le-champ on referma les énormes verrous de la porte épaisse, revêtue de larges barres. Les deux captifs restèrent séparés de l'univers entier.

CHAPITRE X

L'INGÉNU ENFERMÉ À LA BASTILLE AVEC UN JANSÉNISTE.

M. Gordon était un vieillard frais et serein, qui savait deux grandes choses : supporter l'adversité et consoler les malheureux. Il s'avança d'un air ouvert et compatissant vers son compagnon, et lui dit en l'embrassant : « Qui que vous soyez qui venez partager mon tombeau, soyez sûr que je m'oublierai toujours moi-même pour adoucir vos tourments dans l'abîme infernal où nous sommes plongés.

1. Des laïcs faisaient retraite à l'abbaye de Port-Royal-des-Champs : on les nommait des *solitaires*.
2. On ne connaît pas de solitaire de ce nom (voir p. 223).
3. **Sbires :** agents de police (avec une valeur péjorative).

Adorons la Providence qui nous y a conduits, souffrons en
10 paix, et espérons. » Ces paroles firent sur l'âme de l'Ingénu l'effet des gouttes d'Angleterre[1] qui rappellent un mourant à la vie, et lui font entrouvrir des yeux étonnés.

Après les premiers compliments, Gordon, sans le presser de lui apprendre la cause de son malheur, lui inspira, par la
15 douceur de son entretien, et par cet intérêt que prennent deux malheureux l'un à l'autre, le désir d'ouvrir son cœur et de déposer le fardeau qui l'accablait ; mais il ne pouvait deviner le sujet de son malheur : cela lui paraissait un effet sans cause, et le bonhomme Gordon était aussi étonné que lui-même.

20 « Il faut, dit le janséniste au Huron, que Dieu ait de grands desseins sur vous, puisqu'il vous a conduit du lac Ontario[2] en Angleterre et en France, qu'il vous a fait baptiser en Basse-Bretagne, et qu'il vous a mis ici pour votre salut.

— Ma foi, répondit l'Ingénu, je crois que le diable s'est mêlé
25 seul de ma destinée. Mes compatriotes d'Amérique ne m'auraient jamais traité avec la barbarie que j'éprouve[3] ; ils n'en ont pas d'idée. On les appelle *sauvages* ; ce sont des gens de bien grossiers, et les hommes de ce pays-ci sont des coquins raffinés. Je suis, à la vérité, bien surpris d'être venu
30 de l'autre monde pour être enfermé dans celui-ci sous quatre verrous avec un prêtre ; mais je fais réflexion au nombre prodigieux d'hommes qui partent d'un hémisphère pour aller se faire tuer dans l'autre, ou qui font naufrage en chemin, et qui sont mangés des poissons : je ne vois pas les
35 gracieux desseins de Dieu sur tous ces gens-là. »

On leur apporta à dîner par un guichet. La conversation roula sur la Providence[4], sur les lettres de cachet[5], et sur l'art

1. **Gouttes d'Angleterre :** cordial (nous dirions « remontant ») inventé au XVIIe siècle.
2. **Lac Ontario :** le plus oriental des Grands Lacs américains, à la frontière des États-Unis et du Canada.
3. **J'éprouve :** je subis.
4. **La Providence :** intervention sage et toute-puissante de Dieu dans les affaires de notre monde.
5. **Lettre de cachet :** lettre cachetée qui contenait un ordre d'emprisonnement délivré par le roi.

de ne pas succomber aux disgrâces auxquelles tout homme est exposé dans ce monde. « Il y a deux ans que je suis ici, dit
40 le vieillard, sans autre consolation que moi-même et des livres ; je n'ai pas eu un moment de mauvaise humeur.

— Ah ! monsieur Gordon, s'écria l'Ingénu, vous n'aimez donc pas votre marraine ? Si vous connaissiez comme moi Mlle de Saint-Yves, vous seriez au désespoir. » À ces mots il
45 ne put retenir ses larmes, et il se sentit alors un peu moins oppressé. « Mais, dit-il, pourquoi donc les larmes soulagent-elles ? Il me semble qu'elles devraient faire un effet contraire.
— Mon fils, tout est physique en nous, dit le bon vieillard ; toute sécrétion fait du bien au corps, et tout ce qui le
50 soulage soulage l'âme : nous sommes les machines[1] de la Providence. »

L'Ingénu, qui, comme nous l'avons dit plusieurs fois, avait un grand fonds d'esprit, fit de profondes réflexions sur cette idée, dont il semblait qu'il avait la semence en lui-même.
55 Après quoi il demanda à son compagnon pourquoi sa machine était depuis deux ans sous quatre verrous. « Par la grâce efficace[2], répondit Gordon ; je passe pour janséniste : j'ai connu Arnauld[3] et Nicole ; les jésuites nous ont persécutés. Nous croyons que le pape n'est qu'un évêque comme un
60 autre ; et c'est pour cela que le père de La Chaise a obtenu du roi, son pénitent[4], un ordre de me ravir, sans aucune formalité de justice, le bien le plus précieux des hommes, la liberté.
— Voilà qui est bien étrange, dit l'Ingénu ; tous les malheureux que j'ai rencontrés ne le sont qu'à cause du pape.

1. **Machines :** « se dit des automates et de toutes les choses qui se meuvent par art » (Dictionnaire de Furetière). On discutait pour savoir si les animaux étaient de pures machines, sans âme.
2. **Grâce efficace :** terme de théologie très discuté signifiant *qui produit un effet*. Les jansénistes refusaient la distinction faite par les jésuites entre la *grâce suffisante* et la *grâce efficace*. Sur le jansénisme voir p. 174-175.
3. **Antoine Arnauld**, dit le Grand Arnauld (1612-1694) : théologien, chef du parti janséniste. — **Pierre Nicole** (1625-1695) : moraliste et enseignant janséniste.
4. **Pénitent :** celui qui se confesse à un prêtre.

65 « À l'égard de votre grâce efficace, je vous avoue que je n'y entends rien ; mais je regarde comme une grande grâce que Dieu m'ait fait trouver dans mon malheur un homme comme vous, qui verse dans mon cœur des consolations dont je me croyais incapable. »

70 Chaque jour la conversation devenait plus intéressante et plus instructive. Les âmes des deux captifs s'attachaient l'une à l'autre. Le vieillard savait beaucoup, et le jeune homme voulait beaucoup apprendre. Au bout d'un mois il étudia la géométrie ; il la dévorait. Gordon lui fit lire la *Physique* de 75 Rohault[1], qui était encore à la mode, et il eut le bon esprit de n'y trouver que des incertitudes.

Ensuite il lut le premier volume de la *Recherche de la vérité*[2]. Cette nouvelle lumière l'éclaira. « Quoi ! dit-il, notre imagination et nos sens nous trompent à ce point ! quoi ! les 80 objets ne forment point nos idées, et nous ne pouvons nous les donner nous-mêmes ! » Quand il eut lu le second volume, il ne fut plus si content, et il conclut qu'il est plus aisé de détruire que de bâtir.

Son confrère, étonné qu'un jeune ignorant fît cette 85 réflexion qui n'appartient qu'aux âmes exercées, conçut une grande idée de son esprit et s'attacha à lui davantage.

« Votre Malebranche, lui dit un jour l'Ingénu, me paraît avoir écrit la moitié de son livre avec sa raison, et l'autre avec son imagination et ses préjugés. »

90 Quelques jours après, Gordon lui demanda : « Que pensez-vous donc de l'âme, de la manière dont nous recevons nos idées, de notre volonté, de la grâce, du libre arbitre[3] ? — Rien, lui repartit l'Ingénu ; si je pensais quelque chose, c'est que nous sommes sous la puissance de l'Être

1. **Rohault :** auteur d'un *Traité de physique* (1671). La physique constitue plutôt alors une branche de la philosophie, elle est la « science des causes naturelles qui rend raison de tous les phénomènes du ciel et de la terre » (Dictionnaire de Furetière).
2. Célèbre ouvrage du père Malebranche publié en 1674-1675.
3. **Libre arbitre :** faculté qu'a l'homme de se déterminer par sa seule volonté.

95 éternel comme les astres et les éléments ; qu'il fait tout en nous, que nous sommes de petites roues de la machine immense dont il est l'âme ; qu'il agit par des lois générales et non par des vues particulières ; cela seul me paraît intelligible, tout le reste est pour moi un abîme de ténèbres.

100 — Mais, mon fils, ce serait faire Dieu auteur du péché !

— Mais, mon père, votre grâce efficace ferait Dieu auteur du péché aussi : car il est certain que tous ceux à qui cette grâce serait refusée pécheraient ; et qui nous livre au mal n'est-il pas l'auteur du mal ? »

105 Cette naïveté embarrassait fort le bonhomme ; il sentait qu'il faisait de vains efforts pour se tirer de ce bourbier, et il entassait tant de paroles qui paraissaient avoir du sens et qui n'en avaient point (dans le goût de la prémotion physique[1]) que l'Ingénu en avait pitié. Cette question tenait évidemment 110 à l'origine du bien et du mal ; et alors il fallait que le pauvre Gordon passât en revue la boîte de Pandore[2], l'œuf d'Orosmade percé par Arimane[3], l'inimitié entre Typhon et Osiris[4], et enfin le péché originel[5] ; et ils couraient l'un et l'autre dans cette nuit profonde, sans jamais se rencontrer. Mais enfin ce 115 roman de l'âme détournait leur vue de la contemplation de leur propre misère ; et par un charme étrange[6], la foule des calamités répandues sur l'univers diminuait la sensation de leurs peines : ils n'osaient se plaindre quand tout souffrait.

1. Allusion à l'ouvrage de L.F Boursier, *De l'action de Dieu sur les créatures. Traité dans lequel on prouve la prémotion physique par le raisonnement, et où l'on examine plusieurs questions qui ont rapport à la nature et à la grâce* (1713). — La prémotion est la doctrine selon laquelle Dieu agit concrètement sur la volonté des créatures.
2. **Pandore :** selon Hésiode, c'est la première femme, envoyée par Zeus comme châtiment. Elle ouvrit par curiosité la jarre qu'on lui avait confiée et qui contenait tous les maux.
3. **Arimane :** dans la religion perse, dieu principe du mal ; opposé à son frère jumeau, Ohrmazd.
4. **Typhon :** nom grec du dieu égyptien Seth ou Set, incarnation du mal et assassin de son frère **Osiris**.
5. **Péché originel :** selon la Bible, premier péché d'Adam et d'Ève, transmis à tous leurs descendants.
6. **Par un charme étrange :** comme par magie.

Mais dans le repos de la nuit, l'image de la belle Saint-
120 Yves effaçait dans l'esprit de son amant toutes les idées de métaphysique et de morale. Il se réveillait les yeux mouillés de larmes ; et le vieux janséniste oubliait sa grâce efficace, et l'abbé de Saint-Cyran[1], et Jansénius, pour consoler un jeune homme qu'il croyait en péché mortel.

125 Après leurs lectures, après leurs raisonnements, ils parlaient encore de leurs aventures ; et après en avoir inutilement parlé, ils lisaient ensemble ou séparément. L'esprit du jeune homme se fortifiait de plus en plus. Il serait surtout allé très loin en mathématique, sans les distractions que lui
130 donnait Mlle de Saint-Yves.

Il lut des histoires[2], elles l'attristèrent. Le monde lui parut trop méchant et trop misérable. En effet, l'histoire n'est que le tableau des crimes et des malheurs. La foule des hommes innocents et paisibles disparaît toujours sur ces vastes
135 théâtres. Les personnages ne sont que des ambitieux pervers. Il semble que l'histoire ne plaise que comme la tragédie, qui languit si elle n'est animée par les passions, les forfaits et les grandes infortunes. Il faut armer Clio[3] du poignard comme Melpomène.

140 Quoique l'histoire de France soit remplie d'horreurs ainsi que toutes les autres, cependant elle lui parut si dégoûtante dans ses commencements, si sèche dans son milieu, si petite enfin, même du temps de Henri IV, toujours si dépourvue de grands monuments, si étrangère à ces belles découvertes
145 qui ont illustré d'autres nations, qu'il était obligé de lutter contre l'ennui pour lire tous ces détails de calamités obscures resserrées dans un coin du monde.

Gordon pensait comme lui. Tous deux riaient de pitié quand il était question des souverains de Fezensac, de
150 Fezansaguet et d'Astarac[4]. Cette étude en effet ne serait

1. **Saint-Cyran :** théologien français fondateur du jansénisme avec son ami, le théologien néerlandais **Jansénius**.
2. Pluriel de *histoire*, celle des historiens.
3. **Clio :** muse de l'histoire. — **Melpomène :** muse de la tragédie.
4. Ce sont trois petits comtés de l'Armagnac.

SITUER

Le séjour en prison de l'Ingénu va lui permettre les débats et les lectures. Voltaire en profitera pour mettre en question les mentalités de son temps – et de tous les temps.

RÉFLÉCHIR

STRUCTURE ET STRATÉGIES : le passage en revue : ordre et signification

1. Dégagez le plan du chapitre. Montrez comment l'ordre des parties constitue en lui-même une leçon significative.

2. Il est normal que l'intérêt des captifs se porte d'abord sur eux-mêmes et sur leur situation présente. À quoi aboutissent leurs analyses de cette situation ? Quels sont les seuls remèdes qu'ils peuvent se donner ?

3. « Tout est physique en nous », affirme Gordon : les deux premiers paragraphes du chapitre XX (p. 152) diront le contraire. Quel est l'enjeu philosophique de cette opposition ?

4. « Sans autre consolation que moi-même et des livres » (l. 39-40). Dressez la liste des lectures des deux captifs ; quel est le premier bilan de leurs études ?

PERSONNAGES : le bon janséniste et le naïf « embarrassant »

5. Quels sont les traits caractéristiques du personnage de Gordon ? Comment est-il rendu sympathique ? Ses idées sont-elles justes ?

6. Étudiez, dans les propos de l'Ingénu, le passage de la naïveté enfantine à la naïveté critique. En quoi évolue-t-il sur le plan intellectuel ? sur le plan affectif ?

THÈMES : le bien et le mal

7. En recollant ensemble des passages dispersés, on peut reconstituer diverses opinions sur la condition humaine. Retrouvez où s'expriment l'optimisme, le déterminisme, le manichéisme.

8. Opposez les idées de Gordon à celles de l'Ingénu. Lesquelles paraissent les plus acceptables pour le lecteur ?

9. Quels sont les jugements exprimés ici sur l'Histoire ? sur l'amour ?

GENRES : une fable pleine de vie

10. Quelles sont les indications précises du texte qui permettent de regarder le récit comme symbolique de la condition humaine en général ?

11. Étudiez l'art du dialogue dans le passage qui va de la ligne 86 à la ligne 103.

bonne que pour leurs héritiers s'ils en avaient. Les beaux siècles de la république romaine le rendirent quelque temps indifférent pour le reste de la terre. Le spectacle de Rome victorieuse et législatrice des nations occupait son âme
155 entière. Il s'échauffait en contemplant ce peuple qui fut gouverné sept cents ans par l'enthousiasme de la liberté et de la gloire.

Ainsi se passaient les jours, les semaines, les mois ; et il se serait cru heureux dans le séjour du désespoir, s'il n'avait
160 point aimé.

Son bon naturel s'attendrissait encore sur le prieur de Notre-Dame de la Montagne et sur la sensible Kerkabon. « Que penseront-ils, répétait-il souvent, quand ils n'auront point de mes nouvelles ? Ils me croiront un ingrat. » Cette
165 idée le tourmentait ; il plaignait ceux qui l'aimaient, beaucoup plus qu'il ne se plaignait lui-même.

CHAPITRE XI

COMMENT L'INGÉNU DÉVELOPPE SON GÉNIE.

La lecture agrandit l'âme, et un ami éclairé la console. Notre captif jouissait de ces deux avantages qu'il n'avait pas soupçonnés auparavant. « Je serais tenté, dit-il, de croire aux métamorphoses, car j'ai été changé de brute en homme. » Il
5 se forma une bibliothèque choisie d'une partie de son argent dont on lui permettait de disposer. Son ami l'encouragea à mettre par écrit ses réflexions. Voici ce qu'il écrivit sur l'histoire ancienne :

Je m'imagine que les nations ont été longtemps comme moi,
10 *qu'elles ne se sont instruites que fort tard, qu'elles n'ont été occupées pendant des siècles que du moment présent qui coulait, très peu du passé et jamais de l'avenir. J'ai parcouru cinq ou six cents lieues du Canada, je n'y ai pas trouvé un seul monument ; personne n'y sait rien de ce qu'a fait son bisaïeul. Ne*
15 *serait-ce pas là l'état naturel de l'homme ? L'espèce de ce continent-ci me paraît supérieure à celle de l'autre. Elle a augmenté*

son être[1] *depuis plusieurs siècles par les arts et par les connaissances. Est-ce parce qu'elle a de la barbe au menton, et que Dieu a refusé la barbe aux Américains ? Je ne le crois pas ; car je vois* 20 *que les Chinois n'ont presque point de barbe, et qu'ils cultivent les arts depuis plus de cinq mille années. En effet, s'ils ont plus de quatre mille ans d'annales*[2]*, il faut bien que la nation ait été rassemblée et florissante depuis plus de cinquante siècles.*

Une chose me frappe surtout dans cette ancienne histoire de 25 *la Chine, c'est que presque tout y est vraisemblable et naturel. Je l'admire en ce qu'il n'y a rien de merveilleux.*

Pourquoi toutes les autres nations se sont-elles donné des origines fabuleuses[3] *? Les anciens chroniqueurs de l'histoire de France, qui ne sont pas fort anciens, font venir les Français* 30 *d'un Francus, fils d'Hector*[4]*. Les Romains se disaient issus d'un Phrygien quoiqu'il n'y eût pas dans leur langue un seul mot qui eût le moindre rapport à la langue de Phrygie*[5]*. Les dieux avaient habité dix mille ans en Égypte et les diables en Scythie*[6]*, où ils avaient engendré les Huns*[7]*. Je ne vois, avant* 35 *Thucydide*[8]*, que des romans semblables aux* Amadis[9]*, et beaucoup moins amusants. Ce sont partout des apparitions, des oracles, des prodiges, des sortilèges, des métamorphoses, des songes expliqués, et qui font la destinée des plus grands empires et des plus petits États : ici des bêtes qui parlent, là des bêtes* 40 *qu'on adore, des dieux transformés en hommes, et des hommes transformés en dieux. Ah ! s'il nous faut des fables, que ces fables soient du moins l'emblème*[10] *de la vérité ! J'aime les*

---

1. **Augmenté son être :** développé sa personnalité.
2. **Annales :** histoire qui rapporte les faits année par année.
3. **Fabuleuses :** inventées.
4. **Hector :** héros troyen dans *L'Iliade* d'Homère (voir p. 223).
5. **Phrygie :** ancienne contrée d'Asie mineure.
6. **Scythie :** pays des steppes au nord de la mer Noire.
7. **Huns :** peuples asiatiques qui envahirent les Balkans, la Gaule et l'Italie du Nord au Vᵉ siècle, sous la conduite d'Attila.
8. **Thucydide :** historien grec du Vᵉ siècle av. J.-C. (voir p. 225).
9. Cycle de romans de chevalerie du XIVᵉ siècle d'abord écrits en portugais.
10. **Emblème :** image.

fables des philosophes, je ris de celles des enfants, et je hais celles des imposteurs.

45 Il tomba un jour sur une histoire de l'empereur Justinien. On y lisait que des apédeutes[1] de Constantinople avaient donné, en très mauvais grec, un édit contre le plus grand capitaine du siècle[2], parce que ce héros avait prononcé ces paroles dans la chaleur de la conversation : *La vérité luit de*
50 *sa propre lumière, et on n'éclaire pas les esprits avec les flammes des bûchers.* Les apédeutes assurèrent que cette proposition était hérétique, sentant l'hérésie, et que l'axiome[3] contraire était catholique, universel et grec : *On n'éclaire les esprits qu'avec la flamme des bûchers, et la vérité ne saurait luire de*
55 *sa propre lumière.* Ces linostoles[4] condamnèrent ainsi plusieurs discours du capitaine, et donnèrent un édit.

« Quoi ! s'écria l'Ingénu, des édits rendus par ces gens-là ! — Ce ne sont point des édits, répliqua Gordon, ce sont des contre-édits, dont tout le monde se moquait à Constan-
60 tinople, et l'empereur tout le premier : c'était un sage prince qui avait su réduire les apédeutes linostoles à ne pouvoir faire que du bien. Il savait que ces messieurs-là et plusieurs autres pastophores[5] avaient lassé de contre-édits la patience des empereurs ses prédécesseurs en matière plus grave. — Il fit
65 fort bien, dit l'Ingénu ; on doit soutenir les pastophores et les contenir. »

Il mit par écrit beaucoup d'autres réflexions qui épouvantèrent le vieux Gordon. « Quoi ! dit-il en lui-même, j'ai consumé cinquante ans à m'instruire, et je crains de ne
70 pouvoir atteindre au bon sens naturel de cet enfant presque

1. **Apédeutes :** mot forgé, calqué sur le grec, et qui signifie « ignorant ». On le trouve dans les dictionnaires de la fin du XVIIIe siècle.
2. Il s'agit de Bélisaire, général de Justinien, empereur d'Orient (527-565) ; la citation est tirée du roman de Marmontel, *Bélisaire* (1766).
3. **Axiome :** vérité générale admise de tous, mais qui ne peut être démontrée.
4. **Linostoles :** mot forgé qui signifie *habillé de lin* ; ce sont les docteurs de Sorbonne, qui avaient censuré le roman de Marmontel.
5. **Pastophores :** mot forgé qui désigne les prêtres chargés de porter les statuettes de la divinité. C'est un équivalent de *prêtres.*

sauvage ! Je tremble d'avoir laborieusement fortifié des préjugés ; il n'écoute que la simple nature. »

Le bonhomme avait quelques-uns de ces petits livres de critique, de ces brochures périodiques où des hommes inca-
75 pables de rien produire dénigrent les productions des autres, où les Visé[1] insultent aux Racine, et les Faydit[2] aux Fénelon. L'Ingénu en parcourut quelques-uns. « Je les compare, disait-il, à certains moucherons qui vont déposer leurs œufs dans le derrière des plus beaux chevaux : cela ne les empêche
80 pas de courir. » À peine les deux philosophes daignèrent-ils jeter les yeux sur ces excréments de la littérature.

Ils lurent bientôt ensemble les éléments de l'astronomie ; l'Ingénu fit venir des sphères : ce grand spectacle le ravissait. « Qu'il est dur, disait-il, de ne commencer à connaître le ciel
85 que lorsqu'on me ravit le droit de le contempler ! Jupiter et Saturne roulent dans ces espaces immenses ; des millions de soleils éclairent des milliards de mondes ; et dans le coin de terre où je suis jeté, il se trouve des êtres qui me privent, moi, être voyant et pensant, de tous ces mondes où ma vue
90 pourrait atteindre, et de celui où Dieu m'a fait naître ! La lumière faite pour tout l'univers est perdue pour moi. On ne me la cachait pas dans l'horizon septentrional[3] où j'ai passé mon enfance et ma jeunesse. Sans vous, mon cher Gordon, je serais ici dans le néant. »

1. **Jean Donneau de Visé :** fondateur du *Mercure Galant* en 1672.
Jean Racine : poète dramatique français (voir p. 224).
2. **Pierre Valentin Faydit :** auteur de la *Télémachomanie*, où il s'en prend à Fénelon. — **Fénelon :** prélat français, auteur des *Aventures de Télémaque* (1699). (Voir p. 223.)
3. **L'horizon septentrional :** le pays du Nord.

CHAPITRE XII

CE QUE L'INGÉNU PENSE DES PIÈCES DE THÉÂTRE.

Le jeune Ingénu ressemblait à un de ces arbres vigoureux qui, nés dans un sol ingrat, étendent en peu de temps leurs racines et leurs branches quand ils sont transplantés dans un terrain favorable ; et il était bien extraordinaire qu'une 5 prison fût ce terrain.

Parmi les livres qui occupaient le loisir des deux captifs, il se trouva des poésies, des traductions de tragédies grecques, quelques pièces du théâtre français. Les vers qui parlaient d'amour portèrent à la fois dans l'âme de l'Ingénu le plaisir 10 et la douleur. Ils lui parlaient tous de sa chère Saint-Yves. La fable des *Deux Pigeons*[1] lui perça le cœur : il était bien loin de pouvoir revenir à son colombier.

Molière l'enchanta. Il lui faisait connaître les mœurs de Paris et du genre humain. « À laquelle de ses comédies 15 donnez-vous la préférence ? — Au *Tartuffe*, sans difficulté. — Je pense comme vous, dit Gordon ; c'est un tartufe[2] qui m'a plongé dans ce cachot, et peut-être ce sont des tartufes qui ont fait votre malheur. Comment trouvez-vous ces tragédies grecques ? — Bonnes pour des Grecs », dit 20 l'Ingénu. Mais quand il lut l'*Iphigénie* moderne, *Phèdre*, *Andromaque*, *Athalie*[3], il fut en extase, il soupira, il versa des larmes, il les sut par cœur sans avoir envie de les apprendre.

« Lisez *Rodogune*[4], lui dit Gordon : on dit que c'est le chef-d'œuvre du théâtre ; les autres pièces qui vous ont fait 25 tant de plaisir sont peu de chose en comparaison. » Le jeune homme, dès la première page, lui dit : « Cela n'est pas du

1. La Fontaine, *Fables*, IX, 2.
2. Le titre de la pièce de Molière est *Le Tartuffe* (1669) avec deux « f » ; le type humain qui en est né est un « tartufe », c'est-à-dire un hypocrite.
3. Tragédies de Racine : *Iphigénie* (1674), *Phèdre* (1677), *Andromaque* (1667), *Athalie* (1691).
4. ***Rodogune :*** tragédie de Corneille (1644).

même auteur. — À quoi le voyez-vous ? — Je n'en sais rien encore ; mais ces vers-là ne vont ni à mon oreille ni à mon cœur. — Oh ! ce n'est rien que les vers », répliqua Gordon.
30 L'Ingénu répondit : « Pourquoi donc en faire ? »

Après avoir lu très attentivement la pièce, sans autre dessein que celui d'avoir du plaisir, il regardait son ami avec des yeux secs et étonnés, et ne savait que dire. Enfin, pressé de rendre compte de ce qu'il avait senti, voici ce qu'il répon-
35 dit : « Je n'ai guère entendu[1] le commencement ; j'ai été révolté du milieu ; la dernière scène m'a beaucoup ému, quoiqu'elle me paraisse peu vraisemblable ; je ne me suis intéressé pour personne, et je n'ai pas retenu vingt vers, moi qui les retiens tous quand ils me plaisent.

40 — Cette pièce passe pourtant pour la meilleure que nous ayons. — Si cela est, répliqua-t-il, elle est peut-être comme bien des gens qui ne méritent pas leurs places. Après tout, c'est ici une affaire de goût : le mien ne doit pas encore être formé ; je peux me tromper ; mais vous savez que je suis
45 assez accoutumé à dire ce que je pense, ou plutôt ce que je sens. Je soupçonne qu'il y a souvent de l'illusion, de la mode, du caprice, dans les jugements des hommes. J'ai parlé d'après la nature : il se peut que chez moi la nature soit très imparfaite ; mais il se peut aussi qu'elle soit quelquefois peu
50 consultée par la plupart des hommes. » Alors il récita des vers d'*Iphigénie*, dont il était plein, et quoiqu'il ne déclamât pas bien, il y mit tant de vérité et d'onction[2] qu'il fit pleurer le vieux janséniste. Il lut ensuite *Cinna*[3], il ne pleura point, mais il admira. « Je suis fâché pourtant, dit-il, que cette
55 brave fille reçoive tous les jours des rouleaux[4] de l'homme qu'elle veut faire assassiner. Je lui dirais volontiers ce que j'ai lu dans *Les Plaideurs*[5] : Eh ! rendez donc l'argent ! »

---

1. **Entendu :** compris.
2. **Onction :** ce qui, dans un discours, touche le cœur ; cette signification particulière apparaît dans les écrits de Port-Royal.
3. ***Cinna :*** tragédie de Corneille (1641).
4. Des rouleaux de pièces d'or.
5. ***Les Plaideurs :*** comédie de Racine (1668).

SITUER

Les expériences intellectuelles de l'Ingénu sont présentées sous forme d'une revue qui n'échappe pas, au premier abord, à la forme énumérative. Apparemment, il est question successivement de l'histoire ancienne, puis des « petits livres de critique », de l'astronomie, et enfin de la littérature et plus spécialement du théâtre. On s'intéressera surtout à l'histoire ancienne et au théâtre.

RÉFLÉCHIR

QUI PARLE ? QUI VOIT ? Les écrits restent

1. Les premières réflexions de l'Ingénu sont présentées sous forme d'un texte qui consigne ses observations. Quelles sont les raisons de la forme donnée à ses pensées ?

STRATÉGIES : quatre techniques complémentaires (la distinction, l'amalgame, la fable et le parallèle)

2. Pourquoi ce développement séparé sur l'histoire ancienne spécialement, alors qu'il a été question de l'histoire dans le chapitre X ?

3. L'étude de l'énumération des lignes 27 à 41 du chapitre XI peut fournir une explication : s'y glissent des éléments qui peuvent très bien appartenir à l'histoire biblique : lesquels ?

4. Comme on peut le voir p. 176, l'histoire de Justinien appartient à l'actualité littéraire de Voltaire : c'est donc que sa portée est universelle. On peut y voir la leçon essentielle du roman. Étudiez les procédés qui lui confèrent une redoutable efficacité.

5. Le parallèle de Racine et Corneille (p. 112-113) : en quoi Voltaire innove-t-il par rapport à tout ce qui a été dit sur ce point ?

6. L'ordre dans lequel sont présentées les diverses œuvres des deux auteurs n'est ni l'ordre chronologique, ni rien de ce qui pourrait constituer un critère évident de classification. À quoi obéit-il alors ?

7. Que pensez-vous de l'apparition en dernier lieu des *Plaideurs*, la seule comédie de Racine ?

THÈMES : chassez le naturel

8. Le thème récurrent du naturel apparaît dans chaque chapitre comme un avertissement mais aussi comme un argument. Sous quelles formes apparaît-il ici ?

9. La lecture de l'Ingénu : le théâtre est fait pour être récité ; non seulement l'Ingénu retient spontanément par cœur le théâtre de Racine, mais en plus il y met une certaine action. Étudiez les termes qui décrivent cette récitation.

10. En quoi ces chapitres appartiennent-ils à la cohérence générale du roman ? Ne risquent-ils pas de passer pour hors d'œuvre ? Argumentez.

Chapitre XIII

La belle Saint-Yves va à Versailles.

Pendant que notre infortuné s'éclairait plus qu'il ne se consolait ; pendant que son génie, étouffé depuis si longtemps, se déployait avec tant de rapidité et de force ; pendant que la nature, qui se perfectionnait en lui, le
5 vengeait des outrages de la fortune[1], que devinrent monsieur le prieur et sa bonne sœur, et la belle recluse[2] Saint-Yves ? Le premier mois on fut inquiet, et au troisième on fut plongé dans la douleur : les fausses conjectures[3], les bruits mal fondés alarmèrent ; au bout de six mois on le crut mort.
10 Enfin, M. et Mlle de Kerkabon apprirent, par une ancienne lettre qu'un garde du roi avait écrite en Bretagne, qu'un jeune homme semblable à l'Ingénu était arrivé un soir à Versailles, mais qu'il avait été enlevé pendant la nuit, et que depuis ce temps personne n'en avait entendu parler.

15 « Hélas ! dit Mlle de Kerkabon, notre neveu aura fait quelque sottise et se sera attiré de fâcheuses affaires. Il est jeune, il est Bas-Breton, il ne peut savoir comme on doit se comporter à la cour. Mon cher frère, je n'ai jamais vu Versailles ni Paris ; voici une belle occasion, nous retrouve-
20 rons peut-être notre pauvre neveu : c'est le fils de notre frère, notre devoir est de le secourir. Qui sait si nous ne pourrons point parvenir enfin à le faire sous-diacre, quand la fougue de la jeunesse sera amortie ? Il avait beaucoup de disposition pour les sciences. Vous souvenez-vous comme il
25 raisonnait sur l'Ancien et sur le Nouveau Testament ? Nous sommes responsables de son âme ; c'est nous qui l'avons fait baptiser ; sa chère maîtresse Saint-Yves passe les journées à

1. **La fortune :** le destin, le sort.
2. **Recluse :** à l'époque, le mot désigne encore une personne qui s'est retirée volontairement dans une maison religieuse ; le sens juridique d'emprisonnée (ce qui est le cas de Mlle de Saint-Yves) n'apparaît qu'à la fin du siècle.
3. **Conjectures :** hypothèses.

pleurer. En vérité, il faut aller à Paris. S'il est caché dans quelqu'une de ces vilaines maisons de joie[1] dont on m'a fait
30 tant de récits, nous l'en tirerons. » Le prieur fut touché des discours de sa sœur. Il alla trouver l'évêque de Saint-Malo, qui avait baptisé le Huron, et lui demanda sa protection et ses conseils. Le prélat approuva le voyage. Il donna au prieur des lettres de recommandation pour le père de La Chaise,
35 confesseur du roi, qui avait la première dignité du royaume ; pour l'archevêque de Paris Harlay[2], et pour l'évêque de Meaux Bossuet[3].

Enfin le frère et la sœur partirent ; mais, quand ils furent arrivés à Paris, ils se trouvèrent égarés comme dans un vaste
40 labyrinthe sans fil[4] et sans issue. Leur fortune[5] était médiocre ; il leur fallait tous les jours des voitures pour aller à la découverte, et ils ne découvraient rien.

Le prieur se présenta chez le révérend père de La Chaise : il était avec Mlle du Tron[6], et ne pouvait donner audience à
45 des prieurs. Il alla à la porte de l'archevêque : le prélat était enfermé avec la belle Mme de Lesdiguières pour les affaires de l'Église. Il courut à la maison de campagne de l'évêque de Meaux : celui-ci examinait avec Mlle de Mauléon[7] l'amour mystique de Mme Guyon[8]. Cependant il parvint à se faire
50 entendre de ces deux prélats ; tous deux lui déclarèrent qu'ils ne pouvaient se mêler de son neveu, attendu qu'il n'était pas sous-diacre.

---

1. Périphrase pour désigner une maison de prostitution.
2. François de Harlay de Champvallon, archevêque de Paris depuis 1671 (voir p. 223).
3. **Bossuet :** évêque de Meaux de 1681 à sa mort en 1704.
4. Allusion au peloton de fil donné par Ariane à Thésée pour l'aider à ressortir du labyrinthe après avoir tué le Minotaure.
5. Autre sens de *fortune* : l'argent dont ils disposent ; *cf.* note 1 p. 115.
6. Nièce de Bontemps, premier valet de chambre de Louis XIV.
7. **Mlle de Mauléon :** amie de Bossuet.
8. Le « quiétisme », abandon de l'âme à Dieu, de Mme Guyon fut condamné par une commission présidée par Bossuet en 1696.

Enfin il vit le jésuite ; celui-ci le reçut à bras ouverts, lui protesta qu'il avait toujours eu pour lui une estime particulière, ne l'ayant jamais connu. Il jura que la Société[1] avait toujours été attachée aux Bas-Bretons. « Mais, dit-il, votre neveu n'aurait-il pas le malheur d'être huguenot ? — Non, assurément, mon Révérend Père. — Serait-il point janséniste ? — Je puis assurer à Votre Révérence qu'à peine est-il chrétien. Il y a environ onze mois que nous l'avons baptisé. — Voilà qui est bien, voilà qui est bien, nous aurons soin de lui. Votre bénéfice est-il considérable ? — Oh ! fort peu de chose, et mon neveu nous coûte beaucoup. — Y a-t-il quelques jansénistes dans le voisinage ? Prenez bien garde, mon cher monsieur le prieur, ils sont plus dangereux que les huguenots et les athées. — Mon Révérend Père, nous n'en avons point ; on ne sait ce que c'est que le jansénisme à Notre-Dame de la Montagne. — Tant mieux ; allez, il n'y a rien que je ne fasse pour vous. » Il congédia affectueusement le prieur, et n'y pensa plus.

Le temps s'écoulait, le prieur et la bonne sœur se désespéraient.

Cependant le maudit bailli pressait le mariage de son grand benêt de fils avec la belle Saint-Yves, qu'on avait fait sortir exprès du couvent. Elle aimait toujours son cher filleul autant qu'elle détestait le mari qu'on lui présentait. L'affront d'avoir été mise dans un couvent augmentait sa passion. L'ordre d'épouser le fils du bailli y mettait le comble. Les regrets, la tendresse et l'horreur bouleversaient son âme. L'amour, comme on sait, est bien plus ingénieux et plus hardi dans une jeune fille que l'amitié ne l'est dans un vieux prieur et dans une tante de quarante-cinq ans passés. De plus, elle s'était bien formée dans son couvent par les romans qu'elle avait lus à la dérobée.

La belle Saint-Yves se souvenait de la lettre qu'un garde du corps avait écrite en Basse-Bretagne, et dont on avait parlé

1. **La Société** (ou Compagnie) **de Jésus :** l'ordre des Jésuites, qui signent S.J.

dans la province. Elle résolut d'aller elle-même prendre des informations à Versailles, de se jeter aux pieds des ministres si son mari était en prison, comme on le disait, et d'obtenir 90 justice pour lui. Je ne sais quoi l'avertissait secrètement qu'à la cour on ne refuse rien à une jolie fille. Mais elle ne savait pas ce qu'il en coûtait.

Sa résolution prise, elle est consolée, elle est tranquille, elle ne rebute[1] plus son sot prétendu[2] ; elle accueille le 95 détestable beau-père, caresse[3] son frère, répand l'allégresse dans la maison ; puis, le jour destiné à la cérémonie, elle part secrètement à quatre heures du matin avec ses petits présents de noce et tout ce qu'elle a pu rassembler. Ses mesures étaient si bien prises qu'elle était déjà à plus de dix 100 lieues lorsqu'on entra dans sa chambre vers le midi. La surprise et la consternation furent grandes. L'interrogant bailli fit ce jour-là plus de questions qu'il n'en avait fait dans toute la semaine ; le mari resta plus sot qu'il ne l'avait jamais été. L'abbé de Saint-Yves en colère prit le parti de 105 courir après sa sœur. Le bailli et son fils voulurent l'accompagner. Ainsi la destinée conduisait à Paris presque tout ce canton de la Basse-Bretagne.

La belle Saint-Yves se doutait bien qu'on la suivrait. Elle était à cheval ; elle s'informait adroitement des courriers[4] s'ils 110 n'avaient point rencontré un gros abbé, un énorme bailli et un jeune benêt, qui couraient sur le chemin de Paris. Ayant appris au troisième jour qu'ils n'étaient pas loin, elle prit une route différente, et eut assez d'habileté et de bonheur pour arriver à Versailles tandis qu'on la cherchait inutilement dans Paris.

115 Mais comment se conduire à Versailles ? Jeune, belle, sans conseil, sans appui, inconnue, exposée à tout, comment oser chercher un garde du roi ? Elle imagina de s'adresser à un jésuite du bas étage ; il y en avait pour toutes les conditions[5]

1. **Rebute :** repousse.
2. **Prétendu :** celui qu'elle doit épouser.
3. **Caresse :** traite avec amitié.
4. **Des courriers :** auprès des courriers.
5. **Les conditions :** les couches sociales.

de la vie, comme Dieu, disaient-ils, a donné différentes nour-
120 ritures aux diverses espèces d'animaux. Il avait donné au roi son confesseur, que tous les solliciteurs de bénéfices appelaient le *chef de l'Église gallicane*, ensuite venaient les confesseurs des princesses ; les ministres n'en avaient point : ils n'étaient pas si sots. Il y avait les jésuites du grand commun[1], et surtout les
125 jésuites des femmes de chambre, par lesquelles on savait les secrets des maîtresses, et ce n'était pas un petit emploi. La belle Saint-Yves s'adressa à un de ces derniers, qui s'appelait le père Tout-à-tous[2]. Elle se confessa à lui, lui exposa ses aventures, son état, son danger, et le conjura de la loger chez quel-
130 que bonne dévote qui la mît à l'abri des tentations.

Le père Tout-à-tous l'introduisit chez la femme d'un officier du gobelet[3], l'une de ses plus affidées[4] pénitentes. Dès qu'elle y fut, elle s'empressa de gagner la confiance et l'amitié de cette femme ; elle s'informa du garde breton, et
135 le fit prier de venir chez elle. Ayant su de lui que son amant avait été enlevé après avoir parlé à un premier commis, elle court chez ce commis : la vue d'une belle femme l'adoucit, car il faut convenir que Dieu n'a créé les femmes que pour apprivoiser les hommes.

140 Le plumitif[5] attendri lui avoua tout. « Votre amant est à la Bastille depuis près d'un an, et sans vous il y serait peut-être toute sa vie. » La tendre Saint-Yves s'évanouit. Quand elle eut repris ses sens, le plumitif lui dit : « Je suis sans crédit pour faire du bien ; tout mon pouvoir se borne à faire du mal quelque-
145 fois. Croyez-moi, allez chez M. de Saint-Pouange[6] qui fait le bien et le mal, cousin et favori de Mgr de Louvois. Ce ministre

1. **Le grand commun :** les officiers de la maison du roi ; le petit commun : les officiers de rang plus élevé.
2. Ce nom est tiré d'un précepte d'Ignace de Loyola, le fondateur des Jésuites, dans ses *Epistolae et Instructiones* : « Faites-vous tout à tous. »
3. **Officier du gobelet :** office de la maison du roi, concernant la table (pain, vin, fruit et linge).
4. **Affidé :** à qui on se fie.
5. **Plumitif :** homme de plume, c'est-à-dire employé aux écritures.
6. **Saint-Pouange :** premier commis de Louvois (voir p. 225).

SITUER

Selon la technique de l'entrelacement, on passe au récit des aventures de la belle Saint-Yves. Désormais les chapitres seront consacrés tantôt à l'un, tantôt à l'autre (voir p. 191).

RÉFLÉCHIR

STRUCTURE : continuité et rupture

1. L'entrelacement : son but est généralement de créer le suspense et l'attente. Il convient donc d'analyser les rapports entre ce chapitre et ce qui précède immédiatement, entre ce chapitre et ce qui va suivre. Quels sont les éléments qui assurent la cohérence ?

2. Sur les traces de l'Ingénu partent successivement ses parents et Mlle de Saint-Yves, qui suivent approximativement le même parcours que lui. Comparez les parallélismes et les succès de leurs démarches.

3. C'est un véritable roman dans le roman qui se présente en trois paragraphes (l. 73 à 107) : étudiez les techniques qui permettent l'accélération et la condensation du récit.

PERSONNAGES : comment l'esprit vient aux filles

4. La belle Saint-Yves accède au statut d'héroïne, alors que jusqu'ici elle était plutôt effacée. Quels sont les traits de son caractère qui apparaissent maintenant ? En quoi est-elle le pendant ou le complément du héros, l'Ingénu ?

SOCIÉTÉ : la société dans la société

5. Toutes les actions convergent nécessairement vers les jésuites. Montrez comment ce mouvement est organisé dans le texte. Quelles conclusions en tire le lecteur ?

6. Quels sont les traits marquants qui leur sont donnés dans cette première esquisse ? L'auteur intervient-il dans la peinture qui nous en est donnée ? Qui est le « ils » du « disaient-ils » de la ligne 119 ?

7. Réunissez les renseignements qui concernent les occupations des prélats, ministres et commis (à rapprocher aussi de celles de M. Alexandre, au chapitre IX). Quelle impression en retire le lecteur ?

QUI PARLE ? QUI VOIT ? Le lecteur sur ses gardes

8. Distinguez dans les l. 73 à 92 les interventions du narrateur des passages où s'exprime le point de vue de Mlle de Saint-Yves. Quels avertissements le texte donne-t-il sur le sort qui attend Mlle de Saint-Yves ?

a deux âmes : M. de Saint-Pouange en est une ; Mme du Belloy[1], l'autre ; mais elle n'est pas présente à Versailles, il ne vous reste que de fléchir le protecteur que je vous indique. »

150 La belle Saint-Yves, partagée entre un peu de joie et d'extrêmes douleurs, entre quelque espérance et de tristes craintes, poursuivie par son frère, adorant son amant, essuyant ses larmes et en versant encore, tremblante, affaiblie, et reprenant courage, courut vite chez M. de Saint-Pouange.

CHAPITRE XIV

PROGRÈS DE L'ESPRIT DE L'INGÉNU.

L'Ingénu faisait des progrès rapides dans les sciences, et surtout dans la science de l'homme[2]. La cause du développement rapide de son esprit était due à son éducation sauvage presque autant qu'à la trempe[3] de son âme. Car, n'ayant rien
5 appris dans son enfance, il n'avait point appris de préjugés. Son entendement[4], n'ayant point été courbé par l'erreur, était demeuré dans toute sa rectitude[5]. Il voyait les choses comme elles sont, au lieu que les idées qu'on nous donne dans l'enfance nous les font voir toute notre vie comme elles
10 ne sont point. « Vos persécuteurs sont abominables, disait-il à son ami Gordon. Je vous plains d'être opprimé, mais je vous plains d'être janséniste. Toute secte me paraît le ralliement[6] de l'erreur. Dites-moi s'il y a des sectes en géométrie. — Non, mon cher enfant, lui dit en soupirant le

1. Ce nom est un pseudonyme, car certaines éditions donnent « Mme du Fresnois », qui est le nom de la femme d'un premier commis de Louvois, maîtresse en titre du ministre.
2. Les « sciences de l'homme » n'existent pas encore et l'expression est une création de l'auteur ; comprendre « la connaissance de l'homme ».
3. **Trempe :** action de tremper le fer, ce qui le rend plus solide ; par métaphore, se dit d'un esprit ferme et solide.
4. **Entendement :** intelligence.
5. **Rectitude :** justesse.
6. **Ralliement :** rassemblement des troupes en déroute.

15 bon Gordon ; tous les hommes sont d'accord sur la vérité quand elle est démontrée, mais ils sont trop partagés sur les vérités obscures. — Dites sur les faussetés obscures. S'il y avait eu une seule vérité cachée dans vos amas d'arguments qu'on ressasse depuis tant de siècles, on l'aurait découverte
20 sans doute ; et l'univers aurait été d'accord au moins sur ce point-là. Si cette vérité était nécessaire comme le soleil l'est à la terre, elle serait brillante comme lui. C'est une absurdité, c'est un outrage au genre humain, c'est un attentat contre l'Être infini et suprême de dire : "Il y a une vérité essentielle
25 à l'homme, et Dieu l'a cachée." »

Tout ce que disait ce jeune ignorant, instruit par la nature, faisait une impression profonde sur l'esprit du vieux savant infortuné. « Serait-il bien vrai, s'écria-t-il, que je me fusse rendu malheureux pour des chimères[1] ? Je suis bien
30 plus sûr de mon malheur que de la grâce efficace. J'ai consumé mes jours à raisonner sur la liberté de Dieu et du genre humain, mais j'ai perdu la mienne ; ni saint Augustin[2] ni Prosper ne me tireront de l'abîme où je suis. »

L'Ingénu, livré à son caractère, dit enfin : « Voulez-vous
35 que je vous parle avec une confiance hardie ? Ceux qui se font persécuter pour ces vaines disputes de l'école[3] me semblent peu sages ; ceux qui persécutent me paraissent des monstres. »

Les deux captifs étaient fort d'accord sur l'injustice de
40 leur captivité. « Je suis cent fois plus à plaindre que vous, disait l'Ingénu ; je suis né libre comme l'air ; j'avais deux vies, la liberté et l'objet de mon amour : on me les ôte. Nous voici tous deux dans les fers, sans en savoir la raison, et sans pouvoir la demander. J'ai vécu huron vingt ans ; on dit que
45 ce sont des barbares parce qu'ils se vengent de leurs ennemis ; mais ils n'ont jamais opprimé leurs amis. À peine ai-je mis le pied en France que j'ai versé mon sang pour elle ; j'ai

1. **Chimères :** idées invraisemblables et folles.
2. **Saint Augustin :** docteur de l'Église des IVe-Ve siècle (voir p. 222) — **Saint Prosper :** théologien, partisan de saint Augustin.
3. **Disputes de l'école :** discussions artificielles.

SITUER

Retour à l'Ingénu et à Gordon ; mais il s'agit aussi du dernier chapitre où ils vont se trouver captifs et livrés à eux-mêmes ; aussi peut-on le regarder comme une ultime mise au point des progrès spirituels de l'Ingénu et... de Gordon.

RÉFLÉCHIR

QUI PARLE ? QUI VOIT ? Le général et le particulier

1. Étudiez, dans les propos des personnages, l'alternance entre les diverses personnes grammaticales. Que révèle ce va-et-vient sur la méthode de réflexion de l'Ingénu ?

2. Le point de vue de l'auteur apparaît-il ? où et comment ?

PERSONNAGES : le jeune ignorant et le vieux savant

3. Étudiez les métaphores* dans les propos de l'Ingénu. Quelle évolution du personnage ce nouveau langage révèle-t-il ?

4. Le personnage de Gordon présente l'intérêt de faire pendant à celui de l'Ingénu. Lui aussi connaît une évolution : étudiez-en les étapes dans ce chapitre.

THÈMES : les vérités obscures

5. Ce chapitre est l'occasion d'une ultime mise au point sur les thèmes-clés du livre. Quelles sont les idées fortes que Voltaire veut donner au lecteur sur :

- l'éducation ;
- la liberté ;
- la métaphysique ;
- l'amour ?

6. Qui est ici le porte-parole de l'auteur ? Pourquoi ? À quoi voit-on que ce sont ses idées qui doivent être retenues ?

ÉCRIRE

7. Rédigez un plaidoyer pour la liberté.

peut-être sauvé une province, et pour récompense je suis englouti dans ce tombeau des vivants, où je serais mort de
50 rage sans vous. Il n'y a donc point de lois dans ce pays ! On condamne les hommes sans les entendre ! Il n'en est pas ainsi en Angleterre. Ah ! ce n'était pas contre les Anglais que je devais me battre. » Ainsi sa philosophie naissante ne pouvait dompter la nature outragée dans le premier de ses
55 droits, et laissait un libre cours à sa juste colère.

Son compagnon ne le contredit point. L'absence augmente toujours l'amour qui n'est pas satisfait, et la philosophie ne le diminue pas. Il parlait aussi souvent de sa chère Saint-Yves que de morale et de métaphysique. Plus ses sentiments
60 s'épuraient[1], et plus il aimait. Il lut quelques romans nouveaux ; il en trouva peu qui lui peignissent la situation de son âme. Il sentait que son cœur allait toujours au-delà de ce qu'il lisait. « Ah ! disait-il, presque tous ces auteurs-là n'ont que de l'esprit et de l'art. » Enfin le bon prêtre janséniste
65 devenait insensiblement le confident de sa tendresse. Il ne connaissait l'amour auparavant que comme un péché dont on s'accuse en confession. Il apprit à le connaître comme un sentiment aussi noble que tendre, qui peut élever l'âme autant que l'amollir, et produire même quelquefois des vertus. Enfin, pour dernier prodige, un Huron convertissait un janséniste.

CHAPITRE XV

LA BELLE SAINT-YVES RÉSISTE À DES PROPOSITIONS DÉLICATES.

La belle Saint-Yves, plus tendre encore que son amant, alla donc chez M. de Saint-Pouange, accompagnée de l'amie chez qui elle logeait, toutes deux cachées dans[2] leurs coiffes.

---

1. **Ses sentiments s'épuraient :** son amour s'idéalisait.
2. Nous dirions plutôt « *sous* leurs coiffes » : la *coiffe* est une sorte de mantille.

On regroupe ainsi les chapitres qui montrent l'évolution spirituelle de l'Ingénu et de Gordon.

GENRES : roman ou anti-roman ?

Le roman peut être autre chose qu'un divertissement futile, et les artifices dans la composition peuvent aussi avoir une fonction didactique.

1. Les deux héros se trouvant en prison, il n'y a pas à proprement parler d'action dans ces chapitres. Comment la technique romanesque soutient-elle cependant l'intérêt ?

2. « Ces auteurs-là n'ont que de l'esprit et de l'art » (p. 125, l. 63-64). Peut-on appliquer cette critique de l'Ingénu à Voltaire, auteur de romans ?

3. Le chapitre XIII brise la continuité narrative. Quelle est la fonction de cet entrelacement ?

4. Quels éléments reviennent constamment au fil de ces chapitres ? Comment et pourquoi ?

PERSONNAGES : deux malheureux

La sympathie comme moteur de l'intérêt romanesque…

5. L'introduction du personnage de Gordon constitue un élément majeur du récit.

a) Étudiez son portrait et aussi les termes qui le désignent.

b) En quoi est-il symétrique – et différent – de l'Ingénu ?

c) Quelle est l'attitude du lecteur en face de ce personnage ?

REGISTRES ET TONALITÉS : vers plus de gravité

La variété n'est pas seulement une séduction, elle prend également un sens.

6. Quels nouveaux tons apparaissent dans ces chapitres ? Que reste-t-il du comique ?

7. Du fait de l'immobilisation forcée des héros, ces chapitres revêtent souvent un caractère théâtral dont vous étudierez les manifestations et les moyens.

8. En particulier, la phrase habituellement courte et nerveuse de Voltaire laisse parfois la place à de véritables morceaux d'éloquence. Étudiez-en des exemples.

La première chose qu'elle vit à la porte ce fut l'abbé de
5 Saint-Yves, son frère, qui en sortait. Elle fut intimidée[1] ; mais la dévote amie la rassura. « C'est précisément parce qu'on a parlé contre vous qu'il faut que vous parliez. Soyez sûre que dans ce pays les accusateurs ont toujours raison si on ne se hâte de les confondre. Votre présence d'ailleurs, ou je me
10 trompe fort, fera plus d'effet que les paroles de votre frère. »

Pour peu qu'on encourage une amante passionnée, elle est intrépide. La Saint-Yves[2] se présente à l'audience. Sa jeunesse, ses charmes, ses yeux tendres, mouillés de quelques pleurs, attirèrent tous les regards. Chaque courtisan du sous-
15 ministre oublia un moment l'idole du pouvoir[3] pour contempler celle de la beauté. Le Saint-Pouange la fit entrer dans un cabinet ; elle parla avec attendrissement et avec grâce. Saint-Pouange se sentit touché. Elle tremblait, il la rassura. « Revenez ce soir, lui dit-il ; vos affaires méritent
20 qu'on y pense et qu'on en parle à loisir[4]. Il y a ici trop de monde. On expédie les audiences trop rapidement. Il faut que je vous entretienne à fond de tout ce qui vous regarde. » Ensuite, ayant fait l'éloge de sa beauté et de ses sentiments, il lui recommanda de venir à sept heures du soir.

25 Elle n'y manqua pas ; la dévote amie l'accompagna encore, mais elle se tint dans le salon, et lut le *Pédagogue chrétien*[5], pendant que le Saint-Pouange et la belle Saint-Yves étaient dans l'arrière-cabinet[6]. « Croiriez-vous bien, mademoiselle, lui dit-il d'abord, que votre frère est venu me
30 demander une lettre de cachet contre vous ? En vérité j'en expédierais plutôt une pour le renvoyer en Basse-Bretagne. — Hélas ! monsieur, on est donc bien libéral[7] de lettres de

1. **Intimidée :** apeurée.
2. **La** Saint-Yves, **le** Saint-Pouange : l'emploi de l'article devant les noms propres de personnes n'est pas d'un ton familier au XVIIIe siècle.
3. **L'idole du pouvoir :** la représentation figurée (et admirée) du pouvoir, c'est-à-dire le sous-ministre.
4. **À loisir :** en prenant son temps.
5. Ouvrage de Philippe Outreman, paru de 1629 à 1650.
6. Sur le modèle de *arrière-cour, arrière-boutique*.
7. **Libéral :** qui aime à donner, généreux.

cachet dans vos bureaux, puisqu'on en vient solliciter du fond du royaume, comme des pensions ? Je suis bien loin 35 d'en demander une contre mon frère. J'ai beaucoup à me plaindre de lui, mais je respecte la liberté des hommes ; je demande celle d'un homme que je veux épouser, d'un homme à qui le roi doit la conservation d'une province, qui peut le servir utilement, et qui est fils d'un officier tué à son 40 service. De quoi est-il accusé ? Comment a-t-on pu le traiter si cruellement sans l'entendre ? »

Alors le sous-ministre lui montra la lettre du jésuite espion et celle du perfide bailli. « Quoi ! il y a de pareils monstres sur la terre ! et on veut me forcer ainsi à épouser le 45 fils ridicule d'un homme ridicule et méchant ! et c'est sur de pareils avis qu'on décide ici de la destinée des citoyens ! » Elle se jeta à genoux, elle demanda avec des sanglots la liberté du brave homme qui l'adorait. Ses charmes dans cet état parurent dans leur plus grand avantage. Elle était si belle 50 que le Saint-Pouange, perdant toute honte, lui insinua qu'elle réussirait si elle commençait par lui donner les prémices[1] de ce qu'elle réservait à son amant. La Saint-Yves, épouvantée et confuse, feignit longtemps de ne le pas entendre ; il fallut s'expliquer plus clairement. Un mot lâché 55 d'abord avec retenue en produisait un plus fort, suivi d'un autre plus expressif. On offrit non seulement la révocation[2] de la lettre de cachet, mais des récompenses, de l'argent, des honneurs, des établissements[3], et plus on promettait, plus le désir de n'être pas refusé augmentait.

60 La Saint-Yves pleurait, elle était suffoquée[4], à demi renversée sur un sopha[5], croyant à peine ce qu'elle voyait, ce qu'elle entendait. Le Saint-Pouange, à son tour, se jeta à ses genoux. Il n'était pas sans agréments, et aurait pu ne pas effaroucher un cœur moins prévenu[6]. Mais Saint-Yves

1. **Prémices :** premiers fruits.
2. **Révocation :** annulation.
3. **Établissement :** état, poste avantageux.
4. **Suffoquer :** étouffer, perdre la respiration.
5. **Sopha :** canapé. On écrit aujourd'hui « sofa ».
6. **Prévenu :** déjà pris.

65 adorait son amant et croyait que c'était un crime horrible de le trahir pour le servir. Saint-Pouange redoublait les prières et les promesses. Enfin, la tête lui tourna au point qu'il lui déclara que c'était le seul moyen de tirer de sa prison l'homme auquel elle prenait un intérêt si violent et si tendre.
70 Cet étrange entretien se prolongeait. La dévote de l'antichambre, en lisant son *Pédagogue chrétien*, disait : « Mon Dieu ! que peuvent-ils faire là depuis deux heures ? Jamais Mgr de Saint-Pouange n'a donné une si longue audience ; peut-être qu'il a tout refusé à cette pauvre fille, puisqu'elle le
75 prie encore. »

Enfin sa compagne sortit de l'arrière-cabinet, tout éperdue, sans pouvoir parler, réfléchissant profondément sur le caractère des grands et des demi-grands qui sacrifient si légèrement la liberté des hommes et l'honneur des femmes.

80 Elle ne dit pas un mot pendant tout le chemin. Arrivée chez l'amie, elle éclata, elle lui conta tout. La dévote fit de grands signes de croix : « Ma chère amie, il faut consulter dès demain le père Tout-à-tous, notre directeur[1] ; il a beaucoup de crédit auprès de M. de Saint-Pouange ; il confesse
85 plusieurs servantes de sa maison ; c'est un homme pieux et accommodant[2], qui dirige aussi des femmes de qualité. Abandonnez-vous à lui, c'est ainsi que j'en use ; je m'en suis toujours bien trouvée. Nous autres, pauvres femmes, nous avons besoin d'être conduites par un homme. — Eh bien,
90 donc ! ma chère amie, j'irai trouver demain le père Tout-à-tous. »

1. **Directeur :** directeur de conscience.
2. **Accommodant :** plaisant, traitable, avec qui l'on peut « s'arranger ».

SITUER

Retour à Mlle de Saint-Yves. Les démarches qu'elle entreprend pour faire libérer l'Ingénu donnent lieu à une scène osée, que le talent de Voltaire réussit à sauver de l'odieux.

RÉFLÉCHIR

GENRES : une scène « de genre »

1. L'organisation et les moyens expressifs du chapitre l'apparentent à une scène de comédie. Étudiez notamment de ce point de vue :
- le rôle de l'amie ;
- l'importance du discours sous ses différentes formes ;
- l'expression des émotions.

STRATÉGIES : dire et suggérer

2. Le discours se fait souvent allusif, grâce aux périphrases et euphémismes* qui évitent de nommer trop directement des réalités scabreuses. Analysez-en quelques-uns.

3. Ce qui n'exclut nullement l'impression de sincérité qui se dégage de certains autres passages. Étudiez-les en cherchant ce qui leur assure leur caractère d'authenticité.

4. « Comment l'entendez-vous ? » : étudiez le jeu de mots sur le verbe *entendre* (l. 53-54).

PERSONNAGES : les degrés du mal

5. Le personnage de Saint-Pouange est présenté avec certaines nuances. Étudiez ce qui en fait un personnage relativement complexe, et moins simplement mauvais qu'il peut paraître d'abord.

6. Observez dans le texte (p. 127, l. 47 et suiv.) et dans l'illustration p. 135 ce qui marque la réciprocité dans l'attitude des personnages. Quelle est la fonction des deux éléments du décor, le sofa et la porte ? Quelle différence d'atmosphère avec la photo 8 p. 7 ?

SOCIÉTÉ : le dessous des cartes

7. Le thème récurrent du pouvoir arbitraire est repris avec les lettres de cachet. Comment celui-ci est-il critiqué ici ?

8. Les jésuites sont évoqués à deux reprises dans le chapitre. Chacune d'elles illustre un aspect de leur pouvoir occulte : analysez-en les fondements et les conséquences.

9. Le conseil donné par l'amie (l. 6-10) n'est pas sans évoquer les principes de Voltaire lui-même. Qu'est-ce qui donne à ses paroles une portée générale ?

10. Quelle idée de la condition féminine nous est donnée ici ?

Chapitre XVI

Elle consulte un jésuite.

Dès que la belle et désolée Saint-Yves fut avec son bon confesseur, elle lui confia qu'un homme puissant et voluptueux[1] lui proposait de faire sortir de prison celui qu'elle devait épouser légitimement, et qu'il demandait un grand prix de son service ; qu'elle avait une répugnance horrible pour une telle infidélité, et que, s'il ne s'agissait que de sa propre vie, elle la sacrifierait plutôt que de succomber.

« Voilà un abominable pécheur ! lui dit le père Tout-à-tous. Vous devriez bien me dire le nom de ce vilain homme ; c'est à coup sûr quelque janséniste ; je le dénoncerai à Sa Révérence le père de La Chaise, qui le fera mettre dans le gîte où est à présent la chère personne que vous devez épouser. »

La pauvre fille, après un long embarras et de grandes irrésolutions, lui nomma enfin Saint-Pouange.

« Mgr de Saint-Pouange ! s'écria le jésuite ; ah ! ma fille, c'est tout autre chose ; il est cousin du plus grand ministre que nous ayons jamais eu[2], homme de bien, protecteur de la bonne cause, bon chrétien ; il ne peut avoir eu une telle pensée, il faut que vous ayez mal entendu. — Ah ! mon père, je n'ai entendu que trop bien ; je suis perdue quoi que je fasse ; je n'ai que le choix du malheur et de la honte[3] ; il faut que mon amant reste enseveli tout vivant, ou que je me rende indigne de vivre. Je ne puis le laisser périr, et je ne puis le sauver. »

Le père Tout-à-tous tâcha de la calmer par ces douces paroles :

« Premièrement, ma fille, ne dites jamais ce mot, *mon amant* ; il a quelque chose de mondain qui pourrait offenser

1. **Voluptueux :** qui aime les plaisirs des sens.
2. Saint-Pouange est à la fois apparenté aux Colbert (par son père) et aux Le Tellier (Louvois) par sa mère ; mais il a renié les Colbert, et son cousin ministre est Louvois.
3. Le choix entre le malheur et la honte.

Dieu. Dites : *mon mari* ; car, bien qu'il ne le soit pas encore, vous le regardez comme tel, et rien n'est plus honnête.

30 « Secondement, bien qu'il soit votre époux en idée, en espérance, il ne l'est pas en effet[1] : ainsi vous ne commettriez pas un adultère, péché énorme qu'il faut toujours éviter autant qu'il est possible.

« Troisièmement, les actions ne sont pas d'une malice de 35 coulpe[2] quand l'intention est pure ; et rien n'est plus pur que de délivrer votre mari.

« Quatrièmement, vous avez des exemples dans la sainte Antiquité qui peuvent merveilleusement servir à votre conduite. Saint Augustin[3] rapporte que, sous le proconsulat 40 de Septimius Acindynus[4], en l'an 340 de notre salut, un pauvre homme, ne pouvant payer à César ce qui appartenait à César[5], fut condamné à la mort, comme il est juste, malgré la maxime : *Où il n'y a rien le roi perd ses droits.* Il s'agissait d'une livre d'or ; le condamné avait une femme en qui Dieu 45 avait mis la beauté et la prudence. Un vieux richard[6] promit de donner une livre d'or, et même plus, à la dame, à condition qu'il commettrait avec elle le péché immonde. La dame ne crut point mal faire en sauvant la vie à son mari. Saint Augustin approuve fort sa généreuse résignation. Il est vrai 50 que le vieux richard la trompa, et peut-être même son mari n'en fut pas moins pendu ; mais elle avait fait tout ce qui était en elle[7] pour sauver sa vie.

« Soyez sûre, ma fille, que, quand un jésuite vous cite saint Augustin, il faut bien que ce saint ait pleinement raison. 55 Je ne vous conseille rien ; vous êtes sage ; il est à présumer

---

1. **En effet :** dans les faits, dans la réalité.
2. **Coulpe :** péché ; **malice de coulpe :** inclination à faire le mal.
3. **Saint Augustin :** voir p. 222.
4. L'histoire vient du *Dictionnaire historique et critique* de Bayle ; Voltaire l'a déjà utilisée dans le conte intitulé *Cosi Sancta* (= si sainte).
5. Dans l'Évangile, Jésus nomme ainsi le tribut (l'impôt) dû à l'Empereur romain.
6. **Richard :** homme fort riche (terme familier selon les dictionnaires du temps).
7. **Tout ce qui était en elle :** tout ce qu'elle pouvait.

SITUER

Scène remarquable, dans laquelle Voltaire rivalise à la fois avec *Le Tartuffe* de Molière et avec *Les Provinciales* de Pascal, dans une satire mordante de l'hypocrisie des jésuites. Mlle de Saint-Yves achève de se perdre en prenant conseil du père Tout-à-tous.

RÉFLÉCHIR

REGISTRES ET TONALITÉS : « un homme pieux et accommodant »

1. Le langage de l'hypocrisie est caractérisé par la douceur du ton et par un usage tout à fait spécieux des tours impersonnels, du vocabulaire impropre, des modes et temps du verbe (voir en particulier l'emploi du conditionnel et du futur). Étudiez des exemples de chacune de ces catégories.

GENRES : démonstration et parabole*

2. La conduite générale du discours elle-même est un chef-d'œuvre de la rhétorique hypocrite : elle met en œuvre des développements incohérents entre eux, des accumulations et des juxtapositions d'éléments contradictoires, de constantes atténuations et réserves. Là encore, vous relèverez des exemples de ces catégories et les analyserez.

3. Un exemple est développé sous forme d'anecdote ou de parabole, à l'appui de la démonstration. Montrez que :

– l'histoire est hérissée d'éléments accessoires inutiles à la narration ;

– l'histoire est très différente de la situation particulière de Mlle de Saint-Yves.

STRATÉGIES : ne pas conclure...

4. L'histoire est totalement inefficace et ne prouve rien du tout. Le jésuite lui-même la dévalorise en soulignant qu'il est paradoxal qu'un jésuite cite saint Augustin, puisque celui-ci était plutôt revendiqué par les jansénistes. En examinant sa conclusion, peut-on dire que le jésuite donne un conseil explicite à sa pénitente ? Quel est l'intérêt de cette conclusion ?

5. À la fin du chapitre précédent, Mlle de Saint-Yves était « tout éperdue » (p. 128, l. 76-77) ; ici elle est « éperdue » (l. 62). On le retrouve encore au chapitre XIII, p. 137, l. 61. Comment faut-il interpréter ce trait ?

6. Quelles sont les réactions du lecteur, devant le discours du jésuite et devant l'attitude de Mlle de Saint-Yves ?

que vous serez utile à votre mari. Mgr de Saint-Pouange est un honnête homme, il ne vous trompera pas ; c'est tout ce que je puis vous dire ; je prierai Dieu pour vous, et j'espère que tout se passera à sa plus grande gloire. »

60 La belle Saint-Yves, non moins effrayée des discours du jésuite que des propositions du sous-ministre, s'en retourna éperdue chez son amie. Elle était tentée de se déliver par la mort de l'horreur de laisser dans une captivité affreuse l'amant qu'elle adorait, et de la honte de le délivrer au prix 65 de ce qu'elle avait de plus cher, et qui ne devait appartenir qu'à cet amant infortuné.

Chapitre XVII

Elle succombe par vertu.

Elle priait son amie de la tuer ; mais cette femme, non moins indulgente que le jésuite, lui parla plus clairement encore. « Hélas ! dit-elle, les affaires ne se font guère autrement dans cette cour si aimable, si galante et si renommée. 5 Les places les plus médiocres et les plus considérables n'ont souvent été données qu'au prix qu'on exige de vous. Écoutez, vous m'avez inspiré de l'amitié et de la confiance ; je vous avouerai que, si j'avais été aussi difficile que vous l'êtes, mon mari ne jouirait pas du petit poste qui le fait vivre ; il le sait, et 10 loin d'en être fâché, il voit en moi sa bienfaitrice, et il se regarde comme ma créature[1]. Pensez-vous que tous ceux qui ont été à la tête des provinces, ou même des armées, aient dû leurs honneurs et leur fortune à leurs seuls services ? Il en est qui en sont redevables à mesdames leurs femmes. Les dignités[2] 15 de la guerre ont été sollicitées par l'amour ; et la place a été donnée au mari de la plus belle.

1. **Créature :** celui ou celle qui doit sa fortune à un autre.
2. **Dignités :** charges, offices considérables.

« Vous êtes dans une situation bien plus intéressante : il s'agit de rendre votre amant au jour[1] et de l'épouser ; c'est un devoir sacré qu'il vous faut remplir. On n'a point blamé
20 les belles et les grandes dames dont je vous parle ; on vous applaudira, on dira que vous ne vous êtes permis une faiblesse que par un excès de vertu.

— Ah ! quelle vertu ! s'écria la belle Saint-Yves ; quel labyrinthe d'iniquités[2] ! quel pays ! et que j'apprends à
25 connaître les hommes ! Un père de La Chaise et un bailli ridicule font mettre mon amant en prison ; ma famille me persécute ; on ne me tend la main dans mon désastre que pour me déshonorer. Un jésuite a perdu un brave homme, un autre jésuite veut me perdre ; je ne suis entourée que de
30 pièges, et je touche au moment de tomber dans la misère ! Il faut que je me tue ou que je parle au roi ; je me jetterai à ses pieds sur son passage, quand il ira à la messe ou à la comédie.

— On ne vous laissera pas approcher, lui dit sa bonne amie ; et, si vous aviez le malheur de parler, mons de
35 Louvois et le révérend père de La Chaise pourraient vous enterrer dans le fond d'un couvent pour le reste de vos jours. »

Tandis que cette brave personne augmentait ainsi les perplexités de cette âme désespérée et enfonçait le poignard
40 dans son cœur, arrive un exprès[3] de M. de Saint-Pouange avec une lettre et deux beaux pendants d'oreilles. Saint-Yves rejeta le tout en pleurant, mais l'amie s'en chargea.

Dès que le messager fut parti, notre confidente lit la lettre dans laquelle on propose un petit souper aux deux amies
45 pour le soir. Saint-Yves jure qu'elle n'ira point. La dévote veut lui essayer les deux boucles de diamants ; Saint-Yves ne le put souffrir, elle combattit la journée entière. Enfin, n'ayant en vue que son amant, vaincue, entraînée, ne sachant où on la mène, elle se laisse conduire au souper fatal. Rien

1. **Rendre... au jour :** lui rendre la liberté, avec une allusion à « rendre la vie ».
2. **Iniquités :** injustices criantes ; dans la Bible, cela signifie *péché*.
3. **Exprès :** homme envoyé pour porter une lettre.

Gravure de Moreau le Jeune pour *L'Ingénu*, 1786.
(Musée Carnavalet, Paris.)

SITUER

Mlle de Saint-Yves est placée, comme elle le dit bien à la fin du chapitre précédent, devant un dilemme. Ce chapitre-ci est celui de la catastrophe finale, car, après d'ultimes hésitations, il lui faut bien prendre un parti.

RÉFLÉCHIR

GENRES : mise en scène du romanesque

1. La situation inextricable dans laquelle se trouve placée l'héroïne amène naturellement une théâtralisation du texte. En quoi le discours de Mlle de Saint-Yves (l. 23 à 32) peut-il être analysé comme une tirade ? Comment interprétez-vous le mot de « confidente » (l. 43) ?

2. Le récit de la chute de l'héroïne (l. 60 à la fin) est-il dramatique* ou romanesque ? Examinez pour cela le vocabulaire, les temps et le (ou les) point(s) de vue à partir duquel (ou desquels) il est organisé : point de vue du narrateur ou point de vue de l'héroïne.

3. Comparez la fin de ce chapitre avec la fin du chapitre précédent : quels sont les mots répétés et les points communs ? et quelle est la fonction de ces reprises ?

SOCIÉTÉ : un jeu de masques

4. Sous prétexte de consoler ou conseiller son amie, la dévote lui décrit la situation générale et la morale mondaine en vigueur. Y a-t-il dans le texte des indices que Voltaire parle aussi pour son propre temps ?

5. Le mot de « vertu » est l'objet d'un débat : quel sens y prend-il ? Que faut-il en conclure ?

6. La figure du roi est esquissée à l'arrière-plan du texte. Que faut-il penser de cette manière de l'évoquer et de ce qui est dit de lui ici ?

STRATÉGIES : les bienséances

7. L'épreuve que doit subir l'héroïne n'est jamais désignée directement. Relevez les expressions qui servent à la désigner et étudiez-en les détours.

8. Qu'ajoute l'épisode des pendants d'oreilles ?

ÉCRIRE

9. Vous présenterez la défense de Mlle de Saint-Yves.

n'avait pu la déterminer à se parer de ses pendants d'oreilles ; la confidente les apporta, elle les lui ajusta malgré elle avant qu'on se mît à table. Saint-Yves était si confuse, si troublée, qu'elle se laissait tourmenter ; et le patron[1] en tirait un augure[2] très favorable. Vers la fin du repas, la confidente se retira discrètement. Le patron montra alors la révocation de la lettre de cachet, le brevet d'une gratification[3] considérable, celui d'une compagnie[4], et n'épargna pas les promesses. « Ah ! lui dit Saint-Yves, que je vous aimerais si vous ne vouliez pas être tant aimé ! »

Enfin, après une longue résistance, après des sanglots, des cris, des larmes, affaiblie du combat, éperdue, languissante, il fallut se rendre. Elle n'eut d'autre ressource que de se promettre de ne penser qu'à l'Ingénu tandis que le cruel jouirait impitoyablement de la nécessité où elle était réduite.

Chapitre XVIII

Elle délivre son amant et un janséniste.

Au point du jour, elle vole à Paris, munie de l'ordre du ministre. Il est difficile de peindre ce qui se passait dans son cœur pendant ce voyage. Qu'on imagine une âme vertueuse et noble, humiliée de son opprobre[5], enivrée de tendresse, déchirée des remords d'avoir trahi son amant, pénétrée du plaisir de délivrer ce qu'elle adore[6]. Ses amertumes, ses combats, son succès partageaient toutes ses réflexions. Ce n'était plus cette fille simple dont une éducation provinciale avait rétréci les idées.

1. **Le patron :** le maître de la maison.
2. **Augure :** tout ce qui semble présager quelque chose.
3. **Gratification :** don, libéralité ; **le brevet :** le document officiel qui l'accorde.
4. **Compagnie :** groupement de gens de guerre, sous le commandement d'un capitaine. Le brevet nomme l'Ingénu capitaine.
5. **Opprobre :** honte, affront.
6. **Ce qu'elle adore :** celui qu'elle adore.

L'amour et le malheur l'avaient formée. Le sentiment avait fait autant de progrès en elle que la raison en avait fait dans l'esprit de son amant infortuné. Les filles apprennent à sentir plus aisément que les hommes n'apprennent à penser. Son aventure était plus instructive que quatre ans de couvent.

Son habit était d'une simplicité extrême. Elle voyait avec horreur les ajustements[1] sous lesquels elle avait paru devant son funeste[2] bienfaiteur ; elle avait laissé ses boucles de diamants à sa compagne sans même les regarder. Confuse et charmée, idolâtre[3] de l'Ingénu et se haïssant elle-même, elle arrive enfin à la porte.

De cet affreux château, palais de la vengeance,
Qui renferma souvent le crime et l'innocence[4].

Quand il fallut descendre du carrosse, les forces lui manquèrent ; on l'aida ; elle entra, le cœur palpitant, les yeux humides, le front consterné[5]. On la présente au gouverneur ; elle veut lui parler, sa voix expire ; elle montre son ordre en articulant à peine quelques paroles. Le gouverneur aimait son prisonnier ; il fut très aise de sa délivrance. Son cœur n'était pas endurci comme celui de quelques honorables geôliers ses confrères, qui, ne pensant qu'à la rétribution attachée à la garde de leurs captifs, fondant leurs revenus sur leurs victimes, et vivant du malheur d'autrui, se faisaient en secret une joie affreuse des larmes des infortunés.

Il fait venir le prisonnier dans son appartement. Les deux amants se voient, et tous deux s'évanouissent. La belle Saint-Yves resta longtemps sans mouvement et sans vie : l'autre rappela bientôt son courage[6]. « C'est apparemment là madame votre femme, lui dit le gouverneur ; vous ne m'aviez point dit que vous fussiez marié. On me mande[7] que

1. **Les ajustements :** la parure.
2. **Funeste :** qui amène le malheur.
3. **Idolâtre :** qui aime avec excès.
4. Vers de *La Henriade* de Voltaire, chant IV.
5. **Consterné :** frappé de honte.
6. **Rappela son courage :** retrouva ses esprits.
7. **On me mande :** on me fait savoir.

c'est à ses soins généreux que vous devez votre délivrance. — Ah ! je ne suis pas digne d'être sa femme », dit la belle Saint-Yves d'une voix tremblante, et elle retomba encore en faiblesse.

40 Quand elle eut repris ses sens, elle présenta, toujours tremblante, le brevet de la gratification et la promesse par écrit d'une compagnie. L'Ingénu, aussi étonné qu'attendri, s'éveillait d'un songe pour retomber dans un autre. « Pourquoi ai-je été enfermé ici ? comment avez-vous pu m'en 45 tirer ? où sont les monstres qui m'y ont plongé ? Vous êtes une divinité qui descendez du ciel à mon secours. »

La belle Saint-Yves baissait la vue, regardait son amant, rougissait, et détournait, le moment d'après, ses yeux mouillés de pleurs. Elle lui apprit enfin tout ce qu'elle savait 50 et tout ce qu'elle avait éprouvé, excepté ce qu'elle aurait voulu se cacher pour jamais, et ce qu'un autre que l'Ingénu, plus accoutumé au monde et plus instruit des usages de la cour, aurait deviné facilement.

« Est-il possible qu'un misérable comme ce bailli ait eu le 55 pouvoir de me ravir ma liberté ? Ah ! je vois bien qu'il en est des hommes comme des plus vils animaux ; tous peuvent nuire. Mais est-il possible qu'un moine, un jésuite confesseur du roi, ait contribué à mon infortune autant que ce bailli, sans que je puisse imaginer sous quel prétexte ce détestable 60 fripon m'a persécuté ? M'a-t-il fait passer pour un janséniste ? Enfin, comment vous êtes-vous souvenue de moi ? Je ne le méritais pas, je n'étais alors qu'un sauvage. Quoi ! vous avez pu, sans conseil, sans secours, entreprendre le voyage de Versailles ! Vous y avez paru, et on a brisé mes fers ! Il est 65 donc dans la beauté et dans la vertu un charme invincible qui fait tomber les portes de fer et qui amollit les cœurs de bronze ! »

À ce mot de *vertu*, des sanglots échappèrent à la belle Saint-Yves. Elle ne savait pas combien elle était vertueuse 70 dans le crime qu'elle se reprochait.

Son amant continua ainsi : « Ange qui avez rompu mes liens, si vous avez eu (ce que je ne comprends pas encore) assez de crédit pour me faire rendre justice, faites-la donc

Gravure de C. Monnet pour *L'Ingénu*.
(Bibliothèque nationale de France, Paris.)

rendre aussi à un vieillard qui m'a le premier appris à penser,
75 comme vous m'avez appris à aimer. La calamité[1] nous a unis ; je l'aime comme un père, je ne peux vivre ni sans vous ni sans lui.

— Moi ! que je sollicite le même homme qui... ! — Oui, je veux tout vous devoir, et je ne veux devoir jamais rien qu'à
80 vous : écrivez à cet homme puissant, comblez-moi de vos bienfaits, achevez ce que vous avez commencé, achevez vos prodiges. » Elle sentait qu'elle devait faire tout ce que son amant exigeait. Elle voulut écrire, sa main ne pouvait obéir. Elle recommença trois fois sa lettre, la déchira trois fois ; elle
85 écrivit enfin, et les deux amants sortirent après avoir embrassé le vieux martyr de la grâce efficace.

L'heureuse et désolée Saint-Yves savait dans quelle maison logeait son frère ; elle y alla ; son amant prit un appartement dans la même maison.

90 À peine y furent-ils arrivés que son protecteur lui envoya l'ordre de l'élargissement[2] du bonhomme Gordon, et lui demanda un rendez-vous pour le lendemain. Ainsi, à chaque action honnête et généreuse qu'elle faisait, son déshonneur en était le prix. Elle regardait avec exécration cet usage de
95 vendre le malheur et le bonheur des hommes. Elle donna l'ordre de l'élargissement à son amant, et refusa le rendez-vous d'un bienfaiteur qu'elle ne pouvait plus voir sans expirer de douleur et de honte. L'Ingénu ne pouvait se séparer d'elle que pour aller délivrer un ami. Il y vola. Il remplit ce
100 devoir en réfléchissant sur les étranges événements de ce monde, et en admirant la vertu courageuse d'une jeune fille à qui deux infortunés devaient plus que la vie.

1. **La calamité :** le malheur.
2. **L'élargissement :** la mise en liberté.

SITUER

Mlle de Saint-Yves commence par faire usage de la révocation de la lettre de cachet et par faire délivrer son amant. Mais ce qui pouvait devenir un dénouement heureux se trouve secrètement miné.

RÉFLÉCHIR

PERSONNAGES : une cruelle dissonance

1. Le chapitre comporte une bonne part d'analyse psychologique. Comment celle-ci est-elle introduite ? Qui la mène ? Quelle image de l'héroïne en résulte-t-il ?

2. Faites le bilan des réactions successives de l'Ingénu : quels sont les traits qui y reviennent constamment ? À quoi sert l'intervention du narrateur des lignes 101 à 105 ?

SOCIÉTÉ : à la Bastille

3. Jamais la Bastille n'a été nommément désignée dans le texte ; ici encore elle est désignée indirectement : pourquoi ? À quoi sert la présentation qui est faite du gouverneur ?

STRATÉGIES : de Charybde en Scylla

4. Alors que les remords de l'héroïne et la naïveté de son amant faisaient déjà la difficulté de leurs retrouvailles, la nouvelle exigence de l'Ingénu de délivrer également Gordon amène un rebondissement. Quel peut être l'intérêt de mettre encore les héros à l'épreuve ? S'agit-il seulement de soutenir l'intérêt du lecteur ?

5. Le retour du mot « vertu » (voir p. 136, question 5) et son association à d'autres termes du vocabulaire moral comme « honneur », « action honnête et généreuse », « soins généreux », etc. sont destinés à faire réfléchir le lecteur. Quelles sont les nouvelles définitions que l'auteur nous propose de leur donner ? Que faut-il en conclure sur la morale en général ?

La suite discontinue de ces chapitres dessine l'itinéraire de la belle Saint-Yves jusqu'à la délivrance de son amant.

STRUCTURE : le rebondissement

1. L'intérêt dramatique était fondé sur la séparation des deux jeunes gens. Tout se trouve en principe résolu à la fin du chapitre XVIII. Cependant, de nouveaux obstacles se dressent maintenant entre eux. Quels sont-ils et quelles sont les questions que le lecteur peut se poser sur la suite des événements ?

GENRES : le roman de femme

2. La suite de ces chapitres forme un véritable développement autonome, qui n'est pas sans ressembler aux romans féminins qui se proposent de résoudre une « question d'amour ». Ici, la question pourrait être : « Une femme peut-elle être infidèle par amour ? » Comment la question est-elle posée et résolue ?

THÈMES : religion et morale

3. On ne trouve plus ici ni religion ni métaphysique. La question qui reste cependant posée et qui pourrait être : « Qu'est-ce que la faute ? » n'est posée que sur le plan laïque de la morale sociale. Quelle réponse Voltaire suggère-t-il à son lecteur ?

STRATÉGIES : la trahison des clercs

4. Aucun des ecclésiastiques sollicités n'a pu aider honnêtement à la délivrance de l'Ingénu, au contraire. Quelle est la signification de cette démission ? Quel enseignement Voltaire veut-il que nous en tirions ?

5. Le lecteur lui-même ne peut trouver de réponses aux questions qui agitent les personnages que dans sa propre conscience. Où vont ses sympathies ? Que pense-t-il du comportement de l'héroïne ?

CHAPITRE XIX

L'INGÉNU, LA BELLE SAINT-YVES ET LEURS PARENTS SONT RASSEMBLÉS.

La généreuse et respectable infidèle était avec son frère l'abbé de Saint-Yves, le bon prieur de la Montagne et la dame de Kerkabon. Tous étaient également étonnés, mais leurs situations et leurs sentiments étaient bien différents. L'abbé de Saint-Yves pleurait ses torts aux pieds de sa sœur, qui lui pardonnait. Le prieur et sa tendre sœur pleuraient aussi, mais de joie. Le vilain bailli et son insupportable fils ne troublaient point cette scène touchante : ils étaient partis au premier bruit de l'élargissement[1] de leur ennemi ; ils couraient ensevelir dans leur province leur sottise et leur crainte.

Les quatre personnages, agités de cent mouvements divers, attendaient que le jeune homme revînt avec l'ami qu'il devait délivrer. L'abbé de Saint-Yves n'osait lever les yeux devant sa sœur ; la bonne Kerkabon disait : « Je reverrai donc mon cher neveu. — Vous le reverrez, dit la charmante Saint-Yves, mais ce n'est plus le même homme ; son maintien[2], son ton, ses idées, son esprit, tout est changé ; il est devenu aussi respectable qu'il était naïf et étranger à tout. Il sera l'honneur et la consolation de votre famille ; que ne puis-je être aussi l'honneur de la mienne ! — Vous n'êtes point non plus la même, dit le prieur, que vous est-il donc arrivé qui ait fait en vous un si grand changement ? »

Au milieu de cette conversation, l'Ingénu arrive, tenant par la main son janséniste. La scène alors devint plus neuve et plus intéressante. Elle commença par les tendres embrassements de l'oncle et de la tante. L'abbé de Saint-Yves se mettait presque aux genoux de l'Ingénu, qui n'était plus l'*Ingénu*. Les deux amants se parlaient par des regards qui exprimaient tous les sentiments dont ils étaient pénétrés. On voyait éclater la satisfaction, la reconnaissance, sur le front de

1. **Élargissement :** voir p. 141 note 2.
2. **Maintien :** contenance.

l'un ; l'embarras était peint dans les yeux tendres et un peu égarés de l'autre. On était étonné qu'elle mêlât de la douleur 35 à tant de joie.

Le vieux Gordon devint en peu de moments cher à toute la famille. Il avait été malheureux avec le jeune prisonnier, et c'était un grand titre. Il devait sa délivrance aux deux amants, cela seul le réconciliait avec l'amour ; l'âpreté[1] de ses anciennes 40 opinions sortait de son cœur ; il était changé en homme, ainsi que le Huron. Chacun raconta ses aventures avant le souper. Les deux abbés, la tante, écoutaient comme des enfants qui entendent des histoires de revenants, et comme des hommes qui s'intéressaient tous à tant de désastres. « Hélas ! dit 45 Gordon, il y a peut-être plus de cinq cents personnes vertueuses qui sont à présent dans les mêmes fers que Mlle de Saint-Yves a brisés : leurs malheurs sont inconnus. On trouve assez de mains qui frappent sur la foule des malheureux, et rarement une secourable. » Cette réflexion si vraie augmentait sa sensibi- 50 lité et sa reconnaissance ; tout redoublait le triomphe de la belle Saint-Yves ; on admirait la grandeur et la fermeté de son âme. L'admiration était mêlée de ce respect qu'on sent malgré soi pour une personne qu'on croit avoir du crédit[2] à la cour. Mais l'abbé de Saint-Yves disait quelquefois : « Comment ma 55 sœur a-t-elle pu faire pour obtenir sitôt ce crédit ? »

On allait se mettre à table de très bonne heure. Voilà que la bonne amie de Versailles arrive sans rien savoir de tout ce qui s'était passé ; elle était en carrosse à six chevaux, et on voit bien à qui appartenait l'équipage. Elle entre avec l'air 60 imposant d'une personne de cour qui a de grandes affaires, salue très légèrement la compagnie, et, tirant la belle Saint-Yves à l'écart : « Pourquoi vous faire tant attendre ? Suivez-moi ; voilà vos diamants que vous aviez oubliés. » Elle ne put dire ces paroles si bas que l'Ingénu ne les entendît ; il vit les 65 diamants ; le frère fut interdit[3] ; l'oncle et la tante n'éprouvèrent

1. **L'âpreté :** la rudesse, la violence.
2. **Qu'on croit avoir du crédit :** dont on pense qu'elle a du crédit.
3. **Interdit :** étonné, troublé, déconcerté.

qu'une surprise de bonnes gens qui n'avaient jamais vu une telle magnificence[1]. Le jeune homme, qui s'était formé par un an de réflexions, en fit malgré lui, et parut troublé un moment. Son amante s'en aperçut ; une pâleur mortelle se répandit sur
70 son beau visage, un frisson la saisit, elle se soutenait à peine. « Ah ! madame, dit-elle à la fatale[2] amie, vous m'avez perdue ! vous me donnez la mort ! » Ces paroles percèrent le cœur de l'Ingénu ; mais il avait déjà appris à se posséder[3] ; il ne les releva point, de peur d'inquiéter sa maîtresse devant
75 son frère ; mais il pâlit comme elle.

Saint-Yves, éperdue de l'altération qu'elle apercevait sur le visage de son amant, entraîne cette femme hors de la chambre dans un petit passage, jette les diamants à terre devant elle. « Ah ! ce ne sont pas eux qui m'ont séduite, vous le savez ;
80 mais celui qui les a donnés ne me reverra jamais. » L'amie les ramassait, et Saint-Yves ajoutait : « Qu'il les reprenne ou qu'il vous les donne ; allez, ne me rendez plus honteuse de moi-même. » L'ambassadrice enfin s'en retourna, ne pouvant comprendre les remords dont elle était témoin.

85 La belle Saint-Yves, oppressée, éprouvant dans son corps une révolution qui la suffoquait, fut obligée de se mettre au lit ; mais pour n'alarmer personne elle ne parla point de ce qu'elle souffrait, et, ne prétextant que sa lassitude, elle demanda la permission de prendre du repos ; mais ce fut
90 après avoir rassuré la compagnie par des paroles consolantes et flatteuses[4], et jeté sur son amant des regards qui portaient le feu dans son âme.

Le souper, qu'elle n'animait pas, fut triste dans le commencement, mais de cette tristesse intéressante qui four-
95 nit des conversations attachantes et utiles, si supérieures à la frivole joie qu'on recherche, et qui n'est d'ordinaire qu'un bruit importun[5].

1. **Magnificence :** somptuosité.
2. **Fatale :** qui amène le malheur.
3. **Se posséder :** se maîtriser.
4. **Flatteuses :** trompeuses.
5. **Importun :** qui fatigue.

Gordon fit en peu de mots l'histoire du jansénisme et du molinisme[1], des persécutions dont un parti accablait l'autre, et
100 de l'opiniâtreté de tous les deux. L'Ingénu en fit la critique, et plaignit les hommes qui, non contents de tant de discorde que leurs intérêts allument, se font de nouveaux maux pour des intérêts chimériques[2], et pour des absurdités inintelligibles. Gordon racontait, l'autre jugeait ; les convives écoutaient avec
105 émotion et s'éclairaient d'une lumière nouvelle. On parla de la longueur de nos infortunes et de la brièveté de la vie. On remarqua que chaque profession a un vice et un danger qui lui sont attachés, et que, depuis le prince jusqu'au dernier des mendiants, tout semble accuser la nature. Comment se trouve-
110 t-il tant d'hommes qui, pour si peu d'argent, se font les persécuteurs, les satellites[3], les bourreaux des autres hommes ? Avec quelle indifférence inhumaine un homme en place signe la destruction d'une famille, et avec quelle joie plus barbare des mercenaires l'exécutent !

115 « J'ai vu dans ma jeunesse, dit le bonhomme Gordon, un parent du maréchal de Marillac[4], qui, étant poursuivi dans sa province pour la cause de cet illustre malheureux, se cachait dans Paris sous un nom supposé[5]. C'était un vieillard de soixante et douze ans. Sa femme, qui l'accompagnait, était à
120 peu près de son âge. Ils avaient eu un fils libertin[6] qui, à l'âge de quatorze ans, s'était enfui de la maison paternelle ; devenu soldat, puis déserteur, il avait passé par tous les degrés de la débauche et de la misère ; enfin, ayant pris un
125 nom de terre[7], il était dans les gardes du cardinal de Richelieu (car ce prêtre, ainsi que Mazarin[8], avait des gardes) ; il

1. Doctrine de Molina, c'est-à-dire des jésuites.
2. **Chimériques :** illusoires.
3. **Les satellites :** les auxiliaires, les hommes de main.
4. Ennemi du cardinal de Richelieu.
5. **Un nom supposé :** une fausse identité.
6. **Libertin :** débauché.
7. **Prendre un nom de terre :** se donner une nouvelle identité en adoptant un nom de lieu, d'après une terre que l'on possède ; ex. : « de Villefranche ».
8. **Mazarin :** cardinal italien, protégé de Richelieu, principal ministre de la reine Anne d'Autriche après la mort de Louis XIII. Il dirigea la France jusqu'à sa mort en 1661.

avait obtenu un bâton d'exempt[1] dans cette compagnie de satellites. Cet aventurier fut chargé d'arrêter le vieillard et son épouse, et s'en acquitta avec toute la dureté d'un homme qui voulait plaire à son maître. Comme il les conduisait, il entendit ces deux victimes déplorer la longue suite des malheurs qu'elles avaient éprouvés depuis leur berceau. Le père et la mère comptaient parmi leurs plus grandes infortunes les égarements[2] et la perte de leur fils. Il les reconnut ; il ne les conduisit pas moins en prison, en les assurant que Son Éminence devait être servie de préférence à tout. Son Éminence récompensa son zèle.

« J'ai vu un espion du père de La Chaise trahir son propre frère, dans l'espérance d'un petit bénéfice qu'il n'eut point ; et je l'ai vu mourir, non de remords, mais de douleur d'avoir été trompé par le jésuite.

« L'emploi de confesseur, que j'ai longtemps exercé, m'a fait connaître l'intérieur des familles ; je n'en ai guère vu qui ne fussent plongées dans l'amertume, tandis qu'au dehors couvertes du masque du bonheur elles paraissaient nager dans la joie, et j'ai toujours remarqué que les grands chagrins étaient le fruit de notre cupidité effrénée.

— Pour moi, dit l'Ingénu, je pense qu'une âme noble, reconnaissante et sensible peut vivre heureuse ; et je compte bien jouir d'une félicité sans mélange avec la belle et généreuse Saint-Yves. Car je me flatte, ajouta-t-il, en s'adressant à son frère avec le sourire de l'amitié, que vous ne me refuserez pas, comme l'année passée, et que je m'y prendrai d'une manière plus décente. » L'abbé se confondit en excuses du passé et en protestations d'un attachement éternel.

L'oncle Kerkabon dit que ce serait le plus beau jour de sa vie. La bonne tante, en s'extasiant et en pleurant de joie, s'écriait : « Je vous l'avais bien dit que vous ne seriez jamais sous-diacre ; ce sacrement-ci vaut mieux que l'autre, plût à Dieu que j'en eusse été honorée ! mais je vous servirai de

1. **Bâton d'exempt :** insigne d'une charge d'officier de police.
2. **Les égarements :** les erreurs de conduite.

mère. » Alors ce fut à qui renchérirait sur les louanges de la tendre Saint-Yves.

Son amant avait le cœur trop plein de ce qu'elle avait fait pour lui, il l'aimait trop pour que l'aventure des diamants
165 eût fait sur son cœur une impression dominante. Mais ces mots qu'il avait trop entendus : *vous me donnez la mort*, l'effrayaient encore en secret et corrompaient toute sa joie, tandis que les éloges de sa belle maîtresse augmentaient encore son amour. Enfin on n'était plus occupé que d'elle ;
170 on ne parlait que du bonheur que ces deux amants méritaient ; on s'arrangeait pour vivre tous ensemble dans Paris, on faisait des projets de fortune et d'agrandissement, on se livrait à toutes ces espérances que la moindre lueur de félicité[1] fait naître si aisément. Mais l'Ingénu, dans le fond de
175 son cœur, éprouvait un sentiment secret qui repoussait cette illusion. Il relisait ces promesses signées Saint-Pouange, et les brevets signés Louvois ; on lui dépeignit ces deux hommes tels qu'ils étaient, ou qu'on les croyait être. Chacun parla des ministres et du ministère avec cette liberté de table
180 regardée en France comme la plus précieuse liberté qu'on puisse goûter sur la terre.

« Si j'étais roi de France, dit l'Ingénu, voici le ministre de la guerre que je choisirais : je voudrais un homme de la plus haute naissance, par la raison qu'il donne des ordres à la
185 noblesse. J'exigerais qu'il eût été lui-même officier, qu'il eût passé par tous les grades, qu'il fût au moins lieutenant général des armées, et digne d'être maréchal de France ; car n'est-il pas nécessaire qu'il ait servi lui-même pour mieux connaître les détails du service ? et les officiers n'obéiront-ils pas avec
190 cent fois plus d'allégresse à un homme de guerre qui aura comme eux signalé son courage qu'à un homme de cabinet qui ne peut que deviner tout au plus les opérations d'une campagne, quelque esprit qu'il puisse avoir ? Je ne serais pas fâché que mon ministre fût généreux, quoique mon garde du
195 trésor royal en fût quelquefois un peu embarrassé. J'aimerais

1. **De félicité :** de bonheur.

qu'il eût un travail facile[1], et que même il se distinguât par
200 cette gaieté d'esprit, partage d'un homme supérieur aux affaires, qui plaît tant à la nation et qui rend tous les devoirs moins pénibles. » Il désirait qu'un ministre eût ce caractère parce qu'il avait toujours remarqué que cette belle humeur est incompatible avec la cruauté.

205 Mons de Louvois n'aurait peut-être pas été satisfait des souhaits de l'Ingénu : il avait une autre sorte de mérite.

Mais, pendant qu'on était à table, la maladie de cette fille malheureuse prenait un caractère funeste ; son sang s'était allumé, une fièvre dévorante s'était déclarée, elle souffrait, et
210 ne se plaignait point, attentive à ne pas troubler la joie des convives.

Son frère, sachant qu'elle ne dormait pas, alla au chevet de son lit ; il fut surpris de l'état où elle était. Tout le monde accourut ; l'amant se présentait à la suite du frère. Il était
215 sans doute le plus alarmé et le plus attendri de tous ; mais il avait appris à joindre la discrétion à tous les dons heureux que la nature lui avait prodigués, et le sentiment prompt des bienséances[2] commençait à dominer dans lui.

On fit venir aussitôt un médecin du voisinage. C'était un
220 de ceux qui visitent leurs malades en courant, qui confondent la maladie qu'ils viennent de voir avec celle qu'ils voient, qui mettent une pratique aveugle dans une science à laquelle toute la maturité d'un discernement sain et réfléchi ne peut ôter son incertitude et ses dangers. Il redoubla le mal par sa
225 précipitation à prescrire un remède alors à la mode. De la mode jusque dans la médecine ! Cette manie était trop commune dans Paris.

La triste Saint-Yves contribuait encore plus que son médecin à rendre sa maladie dangereuse. Son âme tuait son
230 corps. La foule des pensées qui l'agitaient portait dans ses veines un poison plus dangereux que celui de la fièvre la plus brûlante.

1. **Qu'il eût un travail facile :** qu'il travaillât avec facilité.
2. **Bienséances :** ce qui est jugé convenable en société.

SITUER

Chapitre composite qui essaie de renouer entre eux les fils dispersés de l'intrigue, et notamment de revenir aux grands thèmes-clés du livre.

RÉFLÉCHIR

STRUCTURE : la fin approche

1. L'intérêt est soutenu par un jeu constant de facteurs rassurants et de facteurs inquiétants. Analysez la succession des tensions et des détentes dans le chapitre.

2. Quels sont les éléments préparatoires d'un dénouement ?

3. Quelle est la fonction de la visite de l'amie de Versailles ?

4. On retrouve ici le procédé de l'histoire ou anecdote insérée ; nous savons qu'elle joue toujours un rôle de « fable » destinée à illustrer une morale. Quelle est la leçon à tirer de celle-ci ?

PERSONNAGES : évolution et permanence

5. L'accent est mis sur les transformations des trois héros : Gordon, l'Ingénu, Mlle de Saint-Yves. Quels sont les changements survenus en eux ? En revanche, vous montrerez que les autres personnages demeurent immuables.

THÈMES : l'arbitraire et le bonheur

6. On renoue ici avec le thème essentiel du roman, celui de la violence civile. Montrez que celle-ci découle de l'intolérance religieuse et politique.

7. Un visage nouveau du même thème apparaît : le bonheur est-il possible ? Quelle est la conception du bonheur qui s'exprime ici ? Peut-on penser que ce thème était jusqu'à présent caché dans le texte ? Où, comment et pourquoi ?

SOCIÉTÉ : servir ses semblables

8. La satire des médecins, qui apparaît ici et sera poursuivie au début du chapitre suivant, est-elle en rapport avec les autres préoccupations et sujets de l'œuvre ? Quelles relations entretient-elle avec eux ?

9. Que vient faire ici le développement sur le ministre idéal ? Déduisez-en les idées politiques de Voltaire.

ÉCRIRE

10. En vous inspirant des idées de Voltaire dans ce chapitre, vous présenterez les causes des malheurs des hommes.

Chapitre XX

La belle Saint-Yves meurt, et ce qui en arrive.

On appela un autre médecin : celui-ci, au lieu d'aider la nature et de la laisser agir dans une jeune personne dans qui tous les organes rappelaient la vie[1], ne fut occupé que de contrecarrer son confrère. La maladie devint mortelle en 5 deux jours. Le cerveau, qu'on croit le siège de l'entendement[2], fut attaqué aussi violemment que le cœur, qui est, dit-on, le siège des passions.

Quelle mécanique incompréhensible a soumis les organes au sentiment et à la pensée ? comment une seule idée 10 douloureuse dérange-t-elle le cours du sang, et comment le sang à son tour porte-t-il ses irrégularités dans l'entendement humain ? Quel est ce fluide inconnu et dont l'existence est certaine, qui, plus prompt, plus actif que la lumière, vole en moins d'un clin d'œil dans tous les canaux de la vie, 15 produit les sensations, la mémoire, la tristesse ou la joie, la raison ou le vertige, rappelle avec horreur ce qu'on voudrait oublier, et fait d'un animal pensant, ou un objet d'admiration, ou un sujet de pitié et de larmes ?

20 C'était là ce que disait le bon Gordon ; et cette réflexion si naturelle, que rarement font les hommes, ne dérobait rien à son attendrissement[3] ; car il n'était pas de ces malheureux philosophes qui s'efforcent d'être insensibles. Il était touché du sort de cette jeune fille, comme un père qui voit mourir 25 lentement son enfant chéri. L'abbé de Saint-Yves était désespéré, le prieur et sa sœur répandaient des ruisseaux de larmes. Mais qui pourrait peindre l'état de son amant ? Nulle

1. **Rappelaient la vie :** ne tendaient qu'à reprendre vie.
2. **Entendement :** intelligence.
3. **Ne dérobait rien à son attendrissement :** ne l'empêchait pas de s'attendrir.

langue n'a des expressions qui répondent[1] à ce comble des douleurs ; les langues sont trop imparfaites.

35 La tante, presque sans vie, tenait la tête de la mourante dans ses faibles bras, son frère était à genoux au pied du lit. Son amant pressait sa main, qu'il baignait de pleurs, et éclatait en sanglots ; il la nommait sa bienfaitrice, son espérance, sa vie, la moitié de lui-même, sa maîtresse, son épouse. À ce 40 mot d'*épouse*, elle soupira, le regarda avec une tendresse inexprimable, et soudain jeta un cri d'horreur ; puis, dans un de ces intervalles où l'accablement et l'oppression des sens, et les souffrances suspendues laissent à l'âme sa liberté et sa force, elle s'écria : « Moi, votre épouse ! Ah ! cher amant, ce 45 nom, ce bonheur, ce prix, n'étaient plus faits pour moi ; je meurs, et je le mérite. Ô dieu de mon cœur ! ô vous que j'ai sacrifié à des démons infernaux, c'en est fait, je suis punie, vivez heureux. » Ces paroles tendres et terribles ne pouvaient être comprises ; mais elles portaient dans tous les 50 cœurs l'effroi et l'attendrissement ; elle eut le courage de s'expliquer. Chaque mot fit frémir d'étonnement, de douleur et de pitié tous les assistants. Tous se réunissaient à détester l'homme puissant qui n'avait réparé une horrible injustice que par un crime, et qui avait forcé la plus respec- 55 table innocence à être sa complice.

« Qui ? vous, coupable ! lui dit son amant ; non, vous ne l'êtes pas ; le crime ne peut être que dans le cœur, le vôtre est à la vertu et à moi. »

Il confirmait ce sentiment par des paroles qui semblaient 60 ramener à la vie la belle Saint-Yves. Elle se sentit consolée, et s'étonnait d'être aimée encore. Le vieux Gordon l'aurait condamnée dans le temps qu'il n'était que janséniste ; mais étant devenu sage, il l'estimait et il pleurait.

Au milieu de tant de larmes et de craintes, pendant que le 65 danger de cette fille si chère remplissait tous les cœurs, que tout était consterné, on annonce un courrier de la cour. Un courrier ! et de qui ? et pourquoi ? C'était de la part du

1. **Répondent :** correspondent.

confesseur du roi pour le prieur de la Montagne ; ce n'était pas le père de La Chaise qui écrivait, c'était le frère Vadbled[1], son valet de chambre, homme très important dans ce temps-là, lui qui mandait aux archevêques les volontés du révérend père, lui qui donnait audience, lui qui promettait des bénéfices, lui qui faisait quelquefois expédier des lettres de cachet. Il écrivait à l'abbé de la Montagne *que Sa Révérence était informée des aventures de son neveu, que sa prison n'était qu'une méprise, que ces petites disgrâces arrivaient fréquemment, qu'il ne fallait pas y faire attention, et qu'enfin il convenait que lui prieur vînt lui présenter son neveu le lendemain, qu'il devait amener avec lui le bonhomme Gordon, que lui frère Vadbled les introduirait chez Sa Révérence et chez mons de Louvois, lequel leur dirait un mot dans son antichambre.*

Il ajoutait que l'histoire de l'Ingénu et son combat contre les Anglais avaient été contés au roi, que sûrement le roi daignerait le remarquer quand il passerait dans la galerie, et peut-être même lui ferait un signe de tête. La lettre finissait par l'espérance dont on le flattait que toutes les dames de la cour s'empresseraient de faire venir son neveu à leurs toilettes[2], que plusieurs d'entre elles lui diraient : « Bonjour, monsieur l'Ingénu » ; et qu'assurément il serait question de lui au souper du roi. La lettre était signée : *Votre affectionné Vadbled, frère jésuite.*

Le prieur ayant lu la lettre tout haut, son neveu, furieux, et commandant un moment à sa colère, ne dit rien au porteur ; mais, se tournant vers le compagnon de ses infortunes, il lui demanda ce qu'il pensait de ce style. Gordon lui répondit : « C'est donc ainsi qu'on traite les hommes comme des singes ! On les bat et on les fait danser. » L'Ingénu, reprenant son caractère, qui revient toujours dans les grands mouvements de l'âme, déchira la lettre par morceaux et les jeta au nez du courrier : « Voilà ma réponse. » Son oncle, épouvanté, crut voir le tonnerre et

1. Personnage réel, jésuite de l'entourage du père de La Chaise.
2. Réception intime, lorsque les dames sont à achever leur *toilette.*

vingt lettres de cachet tomber sur lui. Il alla vite écrire et excuser, comme il put, ce qu'il prenait pour l'emportement d'un jeune homme, et qui était la saillie[1] d'une grande âme.

105 Mais des soins plus douloureux s'emparaient de tous les cœurs. La belle et infortunée Saint-Yves sentait déjà sa fin approcher ; elle était dans le calme, mais dans ce calme affreux de la nature affaissée qui n'a plus la force de combattre. « Ô mon cher amant ! dit-elle d'une voix tombante, la 110 mort me punit de ma faiblesse ; mais j'expire avec la consolation de vous savoir libre. Je vous ai adoré en vous trahissant, et je vous adore en vous disant un éternel adieu. »

Elle ne se parait pas d'une vaine fermeté ; elle ne concevait pas cette misérable gloire de faire dire à quelques 115 voisins : « Elle est morte avec courage. » Qui peut perdre à vingt ans son amant, sa vie, et ce qu'on appelle l'*honneur*, sans regrets et sans déchirements ? Elle sentait toute l'horreur de son état, et le faisait sentir par ces mots et par ces regards mourants qui parlent avec tant d'empire. Enfin 120 elle pleurait comme les autres dans les moments où elle eut la force de pleurer.

Que d'autres cherchent à louer les morts fastueuses[2] de ceux qui entrent dans la destruction avec insensibilité : c'est le sort de tous les animaux. Nous ne mourons comme eux 125 avec indifférence que quand l'âge ou la maladie nous rend semblables à eux par la stupidité[3] de nos organes. Quiconque fait une grande perte a de grands regrets ; s'il les étouffe, c'est qu'il porte la vanité jusque dans les bras de la mort.

Lorsque le moment fatal fut arrivé, tous les assistants jetè-130 rent des larmes et des cris. L'Ingénu perdit l'usage de ses sens. Les âmes fortes ont des sentiments bien plus violents que les autres quand elles sont tendres. Le bon Gordon le connaissait assez pour craindre qu'étant revenu à lui il ne se donnât la mort. On écarta toutes les armes ; le malheureux

1. **La saillie :** la manifestation naturelle, le mouvement.
2. **Fastueuses :** pleines d'affectation.
3. **Stupidité :** insensibilité.

135 jeune homme s'en aperçut ; il dit à ses parents et à Gordon, sans pleurer, sans gémir, sans s'émouvoir : « Pensez-vous donc qu'il y ait quelqu'un sur la terre qui ait le droit et le pouvoir de m'empêcher de finir ma vie ? » Gordon se garda bien de lui étaler ces lieux communs fastidieux par lesquels 140 on essaie de prouver qu'il n'est pas permis d'user de sa liberté pour cesser d'être quand on est horriblement mal, qu'il ne faut pas sortir de sa maison quand on ne peut plus y demeurer, que l'homme est sur la terre comme un soldat à son poste : comme s'il importait à l'Être des êtres que 145 l'assemblage de quelques parties de matière fût dans un lieu ou dans un autre ; raisons impuissantes qu'un désespoir ferme et réfléchi dédaigne d'écouter, et auxquelles Caton[1] ne répondit que par un coup de poignard.

Le morne et terrible silence de l'Ingénu, ses yeux 150 sombres, ses lèvres tremblantes, les frémissements de son corps, portaient dans l'âme de tous ceux qui le regardaient ce mélange de compassion et d'effroi qui enchaîne toutes les puissances de l'âme, qui exclut tout discours, et qui ne se manifeste que par des mots entrecoupés. L'hôtesse et sa 155 famille étaient accourues ; on tremblait de son désespoir, on le gardait à vue[2], on observait tous ses mouvements. Déjà le corps glacé de la belle Saint-Yves avait été porté dans une salle basse, loin des yeux de son amant, qui semblait la chercher encore, quoiqu'il ne fût plus en état de rien voir.

160 Au milieu de ce spectacle de la mort, tandis que le corps est exposé à la porte de la maison, que deux prêtres à côté d'un bénitier récitent des prières d'un air distrait, que des passants jettent quelques gouttes d'eau bénite sur la bière par oisiveté, que d'autres poursuivent leur chemin avec indifférence, que 165 les parents pleurent et qu'un amant est prêt de s'arracher la vie, le Saint-Pouange arrive avec l'amie de Versailles.

Son goût passager, n'ayant été satisfait qu'une fois, était devenu de l'amour. Le refus de ses bienfaits l'avait piqué. Le

1. **Caton d'Utique :** homme politique romain du Ier siècle av. J.-C. Il refusa de survivre à la République, lors de la victoire de César sur Pompée, et se donna la mort.
2. **On le gardait à vue :** on le surveillait.

père de La Chaise n'aurait jamais pensé à venir dans cette
170 maison ; mais Saint-Pouange, ayant tous les jours devant les
yeux l'image de la belle Saint-Yves, brûlant d'assouvir une
passion qui par une seule jouissance avait enfoncé dans son
cœur l'aiguillon des désirs, ne balança pas à venir lui-même
chercher celle qu'il n'aurait pas peut-être voulu revoir trois
175 fois si elle était venue d'elle-même.

Il descend de carrosse ; le premier objet qui se présente à
lui est une bière ; il détourne les yeux avec ce simple dégoût
d'un homme nourri dans les plaisirs, qui pense qu'on doit lui
épargner tout spectacle qui pourrait le ramener à la contem-
180 plation de la misère humaine. Il veut monter. La femme de
Versailles demande par curiosité qui on va enterrer ; on
prononce le nom de Mlle de Saint-Yves. À ce nom, elle pâlit et
poussa un cri affreux ; Saint-Pouange se retourne ; la surprise
et la douleur saisissent son âme. Le bon Gordon était là, les
185 yeux remplis de larmes. Il interrompt ses tristes prières pour
apprendre à l'homme de cour toute cette horrible catastrophe. Il lui parle avec cet empire que donnent la douleur et
la vertu. Saint-Pouange n'était point né méchant ; le torrent
des affaires et des amusements avait emporté son âme, qui ne
190 se connaissait pas encore. Il ne touchait point à la vieillesse,
qui endurcit d'ordinaire le cœur des ministres ; il écoutait
Gordon les yeux baissés, et il en essuyait quelques pleurs qu'il
était étonné de répandre : il connut le repentir.

« Je veux voir absolument, dit-il, cet homme extraordi-
195 naire dont vous m'avez parlé ; il m'attendrit presque autant
que cette innocente victime dont j'ai causé la mort. »
Gordon le suit jusqu'à la chambre où le prieur, la Kerkabon,
l'abbé de Saint-Yves et quelques voisins rappelaient à la vie le
200 jeune homme retombé en défaillance.

« J'ai fait votre malheur, lui dit le sous-ministre ;
j'emploierai ma vie à le réparer. » La première idée qui vint à
l'Ingénu fut de le tuer et de se tuer lui-même après. Rien
n'était plus à sa place[1] ; mais il était sans armes et veillé[2] de
205 près. Saint-Pouange ne se rebuta point des refus accompagnés

1. **Rien n'était plus à sa place :** rien n'aurait été plus légitime.
2. **Veillé :** surveillé.

210 du reproche, du mépris et de l'horreur qu'il avait mérités, et qu'on lui prodigua. Le temps adoucit tout. Mons de Louvois vint enfin à bout de faire un excellent officier de l'Ingénu, qui a paru sous un autre nom à Paris et dans les armées, avec l'approbation de tous les honnêtes gens, et qui 215 a été à la fois un guerrier et un philosophe intrépide.

Il ne parlait jamais de cette aventure sans gémir ; et cependant sa consolation était d'en parler. Il chérit la mémoire de la tendre Saint-Yves jusqu'au dernier moment de sa vie. L'abbé de Saint-Yves et le prieur eurent chacun un bon bénéfice ; la bonne Kerkabon aima mieux voir son neveu dans les honneurs militaires que dans le sous-diaconat. La dévote de Versailles garda les boucles de diamants, et reçut encore un beau présent. Le père Tout-à-tous eut des boîtes de chocolat, de café, de sucre candi, de citrons confits, avec les *Méditations* du révérend père Croiset et *La Fleur des saints*[1] reliées en maroquin. Le bon Gordon vécut avec l'Ingénu jusqu'à sa mort dans la plus intime amitié ; il eut un bénéfice aussi, et oublia pour jamais la grâce efficace et le concours concomitant[2]. Il prit pour sa devise : *malheur est bon à quelque chose.* Combien d'honnêtes gens dans le monde ont pu dire : *malheur n'est bon à rien* !

1. *Méditations ou Retraite spirituelle sur un jour de chaque mois,* du R.P. Jean Croiset (Paris, 1710) ; *La Fleur des Vies des Saints (Flos sanctorum, o Libro de las Vidas de los Sanctos)* (1599-1610), du jésuite espagnol Pierre Ribadeneira (1527-1611), constamment traduit et réédité.
2. **Le concours concomitant :** selon la doctrine janséniste, Dieu assiste l'homme par la grâce dans chacune de ses actions.

SITUER

À la fois poursuite de l'intrigue, dénouement, épilogue et conclusion... Comment distinguer l'essentiel de l'accessoire ?

RÉFLÉCHIR

STRUCTURE : deux incidents

1. Au fil essentiel constitué par le récit de la mort de Mlle de Saint-Yves et de ses effets sur le cercle des personnages, deux épisodes annexes viennent se rattacher : la lettre du père de La Chaise et la visite de Saint-Pouange.

– Comment s'explique le revirement du père de La Chaise ? Pourquoi une lettre ? Comment s'expliquent les réactions défavorables qu'elle provoque ? Comment le lecteur l'interprète-t-il ?

– Quelles sont les motivations de Saint-Pouange ? Sont-elles plausibles ? En quoi se rattachent-elles aux leçons générales du roman ?

REGISTRES ET TONALITÉS : le spectacle de la mort

2. L. 29 à 46, 99 à 142 : il s'agit d'« une scène à faire », à laquelle Voltaire s'essaie, en rivalité avec le roman sentimental à la mode (voir p. 183-184). Étudiez :

– les coupures apportées par Voltaire au récit attendu, et leur raison ;

– la manière dont sont rapportées les réactions des assistants.

3. Analysez dans l'ensemble du développement les termes à valeur superlative, chargés de marquer l'emphase des sentiments.

4. N'y a-t-il pas cependant des ruptures dans le ton pathétique*, qui peuvent signaler une ironie latente ? Lesquelles ?

5. Relevez les interventions du narrateur. Qu'y a-t-il de nouveau dans leur fréquence et leur ton ? Quel ton a, selon vous, le dernier mot ?

THÈMES : un « message » de Voltaire ?

6. Incidemment apparaît le thème du suicide. Quelle forme prend ici le débat sur ce point ? Pour quelles conclusions ?

7. Quelle conception de la vie et de la mort s'exprime ici ? Sous quelle forme et sur quel ton ?

STRATÉGIES : tout est bien qui finit bien ?

8. Au dénouement, normalement, les méchants sont punis et les bons récompensés. Qu'en est-il ici ? Dans quel but ?

9. La conclusion se fait sur deux sentences. Laquelle des deux convient le mieux ? Que signifie cette manière de conclure ?

Sur une base apparemment simple, Voltaire effectue une série de ramifications et d'insertions qui, progressivement, épaississent le texte et donc l'enrichissent : il n'y a pas de question simple ni, bien sûr, de réponse simple.

STRUCTURE : une complexité croissante

La complexité de la construction ne doit pas seulement être décrite : elle revêt à son tour une signification.

1. La banale histoire de mariage empêché se réduit à très peu d'incidents. À sa place, on voit apparaître le récit de plusieurs aventures intérieures et spirituelles. Étudiez-en les étapes en vous aidant de la page 191.

2. Le jeu des entrelacements et des insertions compose une action complexe. Commentez le schéma de la page 191.

PERSONNAGES : des héros

3. Au lieu du seul héros éponyme*, on en trouve plusieurs. Quels sont-ils ? Justifiez votre réponse en donnant les indices fournis par le texte.

REGISTRES ET TONALITÉS : la diversité

Ici également il convient de mesurer le rapport entre le sujet traité et le ton donné au développement.

4. Dans quel(s) chapitre(s) se trouve le mieux représenté le pathétique ? l'émotion ? l'ironie ? le badinage ?

THÈMES : « O tempora ! o mores ! »

Comprenons-nous toujours bien les réalités qui nous sont présentées ? Au lecteur de choisir sa vérité.

5. Quels indices révèlent que le texte présente la société de 1689 ? celle de 1767 ? celle de tous les temps ?

6. Multiples sont les questions posées et multiples les réponses. Faites un bilan sur les points suivants : nature et culture ; éducation, culture et progrès ; la science ; l'amour ; le bonheur.

QUI PARLE ? QUI VOIT ? Les points de vue

Sur tous ces points, la leçon peut être directe ou indirecte, imposée ou suggérée.

7. Relevez des passages où c'est Voltaire lui-même qui s'exprime. A-t-il aussi dans le texte d'autres porte-parole ? Qui sont-ils ? Quels effets en résultent ?

L'UNIVERS DE L'ŒUVRE

Dossier documentaire et pédagogique

LE TEXTE ET SES IMAGES

LE POUVOIR ET LA « CIVILISATION » (P. 2-3)

1. « Un si grand roi, dont la gloire s'étend jusque chez les Hurons » (*L'Ingénu*, chap. VIII). Quelle est l'image de la royauté que doit donner le tableau intitulé *Louis XIV tenant le sceau* (image 1) ? Pensez-vous que cette image est compatible avec la réflexion de l'Ingénu : « Est-ce que tout le monde est invisible dans ce pays-ci ? » (chap. IX). Observez, par exemple, la porte du fond : où s'est placé le peintre ?

2. Quelle est la signification des personnages entourant le roi ? Où sont dirigés leurs regards ? Comment interpréter le fait que certains portent un chapeau et d'autres non ?

3. À quoi est destiné le décor et quelles fonctions symboliques peut-on accorder au rideau ? à la statue ? aux colonnes ?

4. « Il déplora d'une manière si pathétique le sort de cinquante mille familles fugitives et de cinquante mille autres converties par les dragons, que l'Ingénu à son tour versa des larmes » (*L'Ingénu*, chap. VIII). À quoi tient également le pathétique de la scène de dragonnade (image 2) ? Quels détails incongrus font la satire du « dragon-missionère » ?

5. Dans l'image 3, les ânes se réjouissent de voir jeter au feu les livres de Voltaire, comme l'a été par exemple le *Dictionnaire philosophique* (voir p. 168). Comment les adversaires du philosophe sont-ils ridiculisés ? Quel est le message laissé par cette image ?

LE MONDE ET LA SOLITUDE (P. 4-5)

« Quand ils furent arrivés à Paris, ils se trouvèrent égarés comme dans un vaste labyrinthe sans fil et sans issue » (*L'Ingénu*, chap. XIII).

6. Comment se trouve exprimée la confusion dans l'image 4 ? Quelle position occupe le roi (tracez les diagonales du tableau) ? Quels sont les détails du décor communs aux images 1 et 4 ?

7. Quel idéal de vie opposé illustre l'image 5 ? Quels aspects de la philosophie de Voltaire veut-on souligner par là ?

8. « Il y a deux ans que je suis ici, dit le vieillard, sans autre consolation que moi-même et des livres ; je n'ai pas eu un moment de mauvaise humeur » (*L'Ingénu*, chap. X). Comment l'image 6 donne-t-elle une vision sereine et positive de la prison ? Pourquoi Voltaire a-t-il fait passer son héros par la même expérience que lui (voir p. 14) ?

POINTS DE VUE SUR LE MARIAGE (P. 6-7)

9. « Il faut, lui disait-il, des notaires, des prêtres, des témoins, des contrats, des dispenses » (*L'Ingénu*, chap. VI). Comment le tableau du *Mariage à la mode* (image 7) rejoint-il les critiques implicites de l'Ingénu ? Que pensez-vous de ce point de vue de l'attitude de la fiancée ? S'intéresse-t-on aux futurs époux ? Quelle est la signification du décor choisi ?

10. « Et en effet il l'épousait, si elle ne s'était pas débattue avec toute l'honnêteté d'une personne qui a de l'éducation » (*L'Ingénu*, chap. VI). L'Ingénu, comme dans l'image 8, fait irruption dans la chambre de Mlle de Saint-Yves. Quelles sont les réactions attendues devant le tableau comme à la lecture de la scène ? Quel est le sens de la pomme posée au chevet du lit ?

11. « L'Ingénu lui répond qu'il n'avait besoin du consentement de personne ; qu'il lui paraissait extrêmement ridicule d'aller demander à d'autres ce qu'on devait faire » (*L'Ingénu*, chap. V). La façon dont on se représente le mariage des sauvages du Canada (image 9) est plutôt ambiguë. Quels sont les traits qui ressemblent aux usages européens ? Comment est rappelé l'état de nature ? Que manque-t-il surtout par rapport à l'image 7 ?

IMAGE D'UN « SAUVAGE » (P. 8)

« Sa figure et son ajustement attirèrent les regards du frère et de la sœur » (*L'Ingénu*, chap. I).

12. La littérature de voyage et les gravures ont répandu l'image du « sauvage ». Quels sont les traits caractéristiques retenus dans l'image 10 de la sauvagerie ? de l'exotisme ?

13. Quels sont, parmi ces traits, ceux que Voltaire a repris dans le portrait initial de son héros ? En quoi cependant l'Ingénu est-il différent ?

14. « On fit venir le plus habile tailleur de Saint-Malo pour habiller l'Ingénu de pied en cap » (*L'Ingénu*, chap. II). Le sauvage en costume européen de l'image 11 est-il encore identifiable comme sauvage (comparez à l'image 10) ? Quelle signification donnez-vous à l'enfant figurant sur l'image et à son attitude ?

QUAND VOLTAIRE ÉCRIVAIT...

« Est-ce qu'on ne peut faire taire cet homme ? »[1]

TRAVAILLER POUR LE ROI DE PRUSSE

En se rendant à Berlin à l'invitation de Frédéric II, Voltaire espérait bien trouver là-bas honneurs et profit, qui ne lui furent d'ailleurs pas ménagés. Peut-être songeait-il plutôt à cette « considération qu'on doit aux gens de lettres » qui fait le sujet de la XXIIIe *Lettre philosophique.* Mais au fond l'essentiel était cette liberté, objet de ses vœux les plus ardents (voir p. 193) : liberté d'opinion, liberté d'expression, liberté de publication aussi. Et il va pouvoir travailler, achever puis publier *Le Siècle de Louis XIV* et *Micromégas.*

Mais le cauchemar recommence, presque dans les mêmes conditions. Il doit ruser pour publier un libelle, *La Diatribe du Docteur Akakia*, qui attaque le président de l'Académie des sciences de Berlin, le Français Maupertuis : Voltaire se sert en effet du privilège qu'il a obtenu pour un autre livre et y substitue *La Diatribe.* Le roi entre en fureur : « Votre effronterie m'étonne, après ce que vous venez de faire, et qui est clair comme le jour. » Voltaire promet de ne plus rien écrire ; on fait rechercher les exemplaires et on les brûle dans la chambre du roi ; mais l'ouvrage circule quand même, et, le 24 décembre 1752, le libelle est brûlé dans les carrefours de Berlin par la main du bourreau. Une fois encore, Voltaire voit condamner un de ses ouvrages : il ne lui reste plus qu'à fuir.

1. Mot prêté à Louis XV, au sujet de Voltaire.

LES AFFAIRES CALAS, SIRVEN ET LA BARRE

On pense que l'ovation qui fut faite à Voltaire dans les derniers mois de sa vie, lors de son retour à Paris, s'adressait surtout au défenseur des Calas, à l'écrivain engagé, à celui qui considère que sa responsabilité de penseur et d'intellectuel est de donner le ton dans la défense concrète de la justice et de l'« humanité tolérante ».

Fin mars 1762, Voltaire apprend l'exécution à Toulouse, le 13 octobre 1761, de **Calas**, un huguenot accusé d'avoir tué son fils qui s'était converti au catholicisme. Dès juillet-août, il commence une campagne de requêtes et de mémoires pour faire réviser le procès Calas : la liste des écrits de Voltaire concernant cette affaire ne compte pas moins de 23 titres de 1761 à 1772. Le 7 mars 1763, le Conseil du Roi autorise la révision du procès. Les défenseurs des Calas exultent : le 9 mars 1765, la réhabilitation des Calas est prononcée.

Aussi Voltaire va-t-il récidiver : en mars 1764, il s'intéresse activement à l'affaire **Sirven**, protestant accusé d'un meurtre, qui s'est réfugié en Suisse avec sa femme. Profitant de la réhabilitation des Calas en mars 1765, il relance l'affaire Sirven et organise une campagne de souscription internationale. En mars 1768, le pourvoi en appel est rejeté, mais Voltaire n'abandonne pas : l'acquittement définitif interviendra le 25 novembre 1771.

En août 1765, **le chevalier de La Barre** mutile un crucifix au cours d'une partie de débauche. Une perquisition à son domicile fait découvrir parmi les livres défendus le *Dictionnaire philosophique*. Le 1er juillet 1766, La Barre est décapité à Abbeville, après rejet d'un recours en grâce. Symboliquement, un exemplaire du *Dictionnaire philosophique* est brûlé sur le bûcher où l'on a jeté le corps du jeune chevalier. Encore un livre brûlé et, de plus, il y a mort d'homme. Affolé, Voltaire se réfugie en Suisse.

Il échouera en 1774 et 1775 à obtenir la révision du procès de La Barre, mais ces expériences laisseront dans ses œuvres des traces profondes et seront à l'origine de textes vibrants comme la *Relation de la mort du chevalier de La Barre* ou *Le Cri du sang innocent.*

L'INFATIGABLE VOLTAIRE

Tout cela ne l'empêche cependant pas de se livrer à son activité essentielle : écrire. Au cours des années 1765-1767, alors qu'il rédige et publie *L'Ingénu* (qui connaîtra 10 éditions l'année de sa parution, 1767), il envoie 6 000 lettres : c'est du moins le nombre de celles qui ont été conservées pour cette période. Chaque année paraissent deux ou trois textes importants et, simultanément, un nombre indéterminé de ce qu'il appelait des « fusées volantes » : pamphlets, libelles, lettres, etc. ; simultanément encore, des œuvres théâtrales : *Les Scythes* (1766), *Les Deux Tonneaux* (opéra comique, 1767) ; des rééditions de ses œuvres, un volume de *Mélanges* par an, etc.

Tout cela ne va évidemment pas sans attirer des ripostes de ses adversaires. Et Voltaire de contre-attaquer, répondre et réfuter : comme on le voit, on ne peut le faire taire.

DES ŒUVRES DE LEUR TEMPS ?

L'histoire revisitée

Rien ne semble a priori pouvoir rapprocher *Micromégas* et *L'Ingénu*, pas même leur place dans l'abondante production des écrits de Voltaire relevant du type « conte philosophique » (voir p. 17). Cette trop facile opposition mérite cependant d'être dépassée. La caractéristique commune des deux textes est de présenter des événements datés. Ils relèvent donc par là, à proprement parler, du genre narratif et romanesque.

L'EXPÉDITION AU PÔLE NORD

La fin du chapitre III de *Micromégas* donne explicitement la date de l'arrivée du Sirien et du Saturnien sur la Terre : le 5 juillet 1737, ce qui correspond à un événement relaté à la fin du chapitre suivant :

« On sait que dans ce temps-là même une volée de philosophes revenait du cercle polaire, sous lequel ils avaient été faire des observations dont personne ne s'était avisé jusqu'alors. Les gazettes dirent que leur vaisseau échoua aux côtes de Botnie, et qu'ils eurent bien de la peine à se sauver. »

De quels événements réels s'agit-il ? Maupertuis, Clairaut, Le Monnier et quelques autres savants étaient partis le 2 mai 1736 à destination de Torneo, ville de Norvège (aujourd'hui en Finlande) au fond du golfe de Botnie, pour mesurer le méridien terrestre. Il s'agissait de confirmer une intuition théorique de Newton qui supposait que la Terre devait être aplatie aux deux pôles : ce fut un triomphe pour le parti des philosophes. Mais au retour, commencé en juin 1737, l'expédition fut mise en péril par une tempête, et on annonça même son naufrage le long des côtes de Botnie. Ils purent en réalité réparer et reprendre la mer le 18 juillet. Détail intéressant : l'expédition ramenait deux Lapones en France.

UNE GUERRE PARMI D'AUTRES

Un autre repère chronologique est fourni par un passage du chapitre VII de *Micromégas*, où un savant terrien s'exprime ainsi :

« Savez-vous bien, par exemple, qu'à l'heure que je vous parle il y a cent mille fous de notre espèce, couverts de chapeaux, qui tuent cent mille autres animaux couverts d'un turban, ou qui sont massacrés par eux ? »

C'est une allusion à la guerre au sujet de la Crimée, qui, de 1735 à 1739, oppose les Turcs aux Russes et aux Autrichiens (voir *Candide*, « Histoire de la vieille », chap. XII).

SENS DEVANT DERRIÈRE

Pour *L'Ingénu*, il en va entièrement de même : le roman est explicitement daté : « En l'année 1689, le 15 juillet au soir... » (chap. I).

Ainsi naît l'historicité. La question qui se pose est évidemment encore la même : quel intérêt les lecteurs de 1767 pouvaient-ils prendre à la narration d'événements antérieurs de 78 ans ? La réponse à cette question concerne également les lecteurs d'aujourd'hui, qui doivent à la fois revenir sur une actualité ancienne, celle du siècle de Louis XIV, et sur la réception de l'œuvre en 1767. Voltaire lui-même dit quelque chose à ce sujet, qui doit fonctionner comme une précieuse mise en garde :

« Voilà le ridicule de presque tous les commentateurs, des scoliastes ; ils s'attachent à l'explication arbitraire d'un mot inutile, et ils négligent le fond des choses. Il est question ici de détromper les hommes sur les fables dont on les a bercés depuis tant de siècles » (*La Défense de mon oncle*, chap. IX).

Aussi sommes-nous avertis : le problème est moins tel ou tel fait actuel ou actualisé, daté, que **les problèmes éternels mettant en cause la condition humaine**. De ce point de vue, *L'Ingénu* procède avec toutes sortes de raffinements dignes de l'observation.

Au moment où il rédige *L'Ingénu*, Voltaire remanie son *Siècle de Louis XIV* en vue d'une nouvelle édition ; il est donc plein de son sujet, et les réalités du siècle précédent passent dans son texte, pleines de chaleur et de vie. Aussi ne s'étonnera-t-on point d'y voir tel détail concret et tel nom propre, jusqu'au plus petit : le frère Vadbled, M. Alexandre, Mlle de Mauléon, Mlle du Tron, Mme Guyon sont des noms réels de personnages réels.

On peut néanmoins être intrigué par un cas particulier : la maîtresse de Louvois est nommée dans le roman Mme du Belloy. C'est un nom de fantaisie, mais dont les sonorités sont évocatrices puisque, dans la réalité, elle s'appelait Mme du Fresnois ou Fresnoy, et était la femme d'un des principaux commis de Louvois. Ce codage est inquiétant, car il induit le lecteur à soupçonner que les noms sont autant de déguisements qu'il faut déchiffrer. Et on ne s'en fait pas faute, allant jusqu'à voir dans le nom de Saint-Pouange, qui est cependant, de la manière la plus claire, le nom d'un adjoint de Louvois, un déguisement pour un contemporain de Voltaire cette fois, le comte de Saint-Florentin, secrétaire d'État de Louis XV et de Louis XVI, jusqu'en 1775.

Nous avons conservé une lettre de Voltaire du 16 septembre 1767, à l'éditeur Lacombe, auquel il propose diverses rectifications pour une nouvelle édition de *L'Ingénu*. Elle se termine ainsi :

« Au reste, au lieu de mettre des initiales au nom du Saint-Pouange, il n'y a qu'à mettre le marquis de Ménange ; cela déroute encore plus et est plus agréable au lecteur. »

On en déduit qu'il a existé des éditions qui épaississaient le mystère en ne donnant que les initiales du nom ; que le nom de

Ménange est un pur nom fabriqué à partir des consonances de Saint-Pouange ; que dans la pensée de Voltaire, il s'agit bien de Saint-Pouange, mais que ce nom n'est guère plus qu'un prétexte ou un gage de couleur locale ; que le souci de déguiser est un moyen de donner au lecteur le plaisir du déchiffrage.

Mais alors le roman se transforme en **roman à clé**, et l'on soupçonne qu'il déguise également des événements contemporains. Le portrait du ministre idéal, esquissé au chapitre XIX, est naturellement interprétable comme une flatterie à l'endroit de Choiseul, dont Voltaire souhaitait se concilier les bonnes grâces. Ainsi se combinent, se mêlent et s'interpénètrent deux actualités : celle du siècle de Louis XIV, qui est fort familière à Voltaire, et celle de la décennie 1760, qui perce parfois sous le masque.

Le vrai problème reste cependant celui de la réception : comment le lecteur de 1767 et, a fortiori, celui d'aujourd'hui, peuvent-ils comprendre les faits cités, les mettre en perspective, les combiner entre eux, bref s'en faire une idée critique ? Car le problème devient brûlant si l'on passe des noms ou des faits ponctuels cités, bref de tout ce qui relève de l'historiographie, à ce qui, plus subtilement, relève de l'histoire et de l'histoire des mentalités.

LES GUERRES

En 1689, l'événement qui domine la politique internationale est celui des efforts de Jacques II pour remonter sur le trône d'Angleterre : tentatives de débarquement, surveillance mutuelle des côtes et des mouvements de navires, guerre d'escarmouches et de coups de main. L'information de Voltaire est très précise : les hostilités ont commencé en effet le 17 mai 1689. De cela nous trouvons quelques traces avec la défense de l'Ingénu contre une incursion anglaise sur les côtes de Bretagne (chap. VII).

Par ailleurs, la guerre de Sept Ans (1756-1763) s'est terminée par le traité de Paris. Mais au cours de cette guerre, les

Anglais se sont emparés de Belle-Île et ont obtenu en échange le Canada. On voit bien là encore comment Voltaire combine les deux actualités.

LA RÉVOCATION DE L'ÉDIT DE NANTES

L'édit de Nantes (1598) avait donné à la France la paix religieuse. Sa révocation en 1685, que tous les observateurs attribuaient à l'influence combinée des jésuites, du confesseur du roi et de Mme de Maintenon, accompagnée de mesures rigoureuses et de campagnes de conversions forcées, les dragonnades, va amener beaucoup de protestants à s'exiler. Tous les contemporains un peu éclairés ont au moins protesté contre cet aspect des choses qui allait mettre en difficulté économique la France, en la privant d'une partie fort active de sa population. La répression semble avoir été justement très sévère à Saumur, comme le signale le roman. Voltaire a eu la malice de faire prédire aux huguenots de Saumur, que l'Ingénu rencontre au chapitre VIII, l'avenir des persécuteurs :

« L'Ingénu, attendri de plus en plus, demanda quels étaient les Français qui trompaient ainsi un monarque si cher aux Hurons. “Ce sont les jésuites, lui répondit-on ; c'est surtout le père de La Chaise, confesseur de Sa Majesté. Il faut espérer que Dieu les en punira un jour, et qu'ils seront chassés comme ils nous chassent.” »

Mais, en 1767, rien n'est vraiment fini : outre que le pays subit sans doute encore les conséquences de ces persécutions, Voltaire en voit des résurgences dans les affaires Calas et Sirven. Il s'entremet par ailleurs pour essayer d'obtenir que la condamnation aux galères qui frappe des protestants ou des pasteurs, convaincus de s'être réunis pour pratiquer leur culte, soit levée et qu'ils soient plutôt déportés en Guyane, pour y fonder une colonie dont il propose de fournir les premières mises de fonds. Le projet échouera.

LE JANSÉNISME ET LES JÉSUITES

On sait, ne serait-ce qu'à cause des écrits de Pascal comme *Les Provinciales*, l'opposition qui existe entre les jésuites persécuteurs, solidement implantés dans les sphères du pouvoir, et les jansénistes persécutés. Bientôt l'abbaye de Port-Royal-des-Champs sera rasée (1709), la bulle *Unigenitus*[1] proclamée (1713), et le père Quesnel obligé de fuir. Les échos de cette situation se font entendre dans le roman, supposé avoir pour auteur le père Quesnel, et où le père de La Chaise, autant que Gordon, sont bien dans leurs rôles respectifs. Il est vraisemblable que Gordon doit beaucoup à Lemaître de Sacy, ce solitaire de Port-Royal traducteur de la Bible, qui avait traduit une dizaine de livres de l'*Ancien Testament* avant d'être emprisonné à la Bastille de mai 1666 à novembre 1668. Il profita de ces deux ans et demi de prison pour achever sa traduction ; Louis XIV le fit libérer et le reçut, avec de vives marques d'estime, le 14 novembre 1668.

Mais la situation est renversée en 1767 : un lecteur d'alors ne peut ignorer que les jésuites sont expulsés de plusieurs pays d'Europe et aussi de France depuis 1764, alors que les jansénistes occupent des positions influentes dans les parlements et dans l'administration. Ils ont même donné les pires exemples du fanatisme lorsque, en 1727, se sont produites au cimetière Saint-Médard, sur la tombe du diacre Pâris, des scènes de convulsions et d'extase.

L'important pour le lecteur n'est ni la situation de 1689 ni la situation postérieure : il doit comprendre que les persécuteurs d'hier sont les proscrits d'aujourd'hui, et réciproquement, et qu'il n'y a donc rien à attendre de bon du fanatisme religieux quel qu'il soit.

LES TROUBLES DE LA CHRONOLOGIE

Sur le plan culturel, un ballet savant de références se trouve instauré. Nous avons déjà vu que Saint-Pouange était en même

1. *Unigenitus Dei Filius* : titre de la bulle (sorte de décret) du pape Clément XI condamnant 101 propositions tirées du livre du janséniste Pasquier Quesnel. Elle provoqua la division du clergé français.

temps Saint-Florentin, nous verrons que Fontenelle est en même temps le Saturnien extraterrestre et le Terrien, secrétaire de l'Académie des sciences. Quelques cas devraient suffire à montrer que les critiques voltairiennes débordent largement la civilisation et l'époque auxquelles elles s'en prennent.

Dans *L'Ingénu* sont cités pêle-mêle : Bolingbroke, né en 1678 et qui a donc 11 ans au moment des faits ; Boursier, né en 1679 et qui en a donc 10, évoqué pour son œuvre *La Prémotion physique* qui date de 1713 ; *La Télémachomanie* de Faydit de 1700 ; *La Retraite spirituelle* de Croiset de 1710 ; *Bélisaire* (1766) de Marmontel, censuré en 1767.

Toutes ces allusions visent des textes largement postérieurs aux faits, mais qui peuvent appartenir à la culture des lecteurs de 1752 ou 1767. Leur attention et leur admiration pour ces textes ne saurait donc être purement historique ; ils sont au contraire priés de comprendre que les faits qu'ils lisent sont tout aussi vrais de leur temps, parce qu'ils sont permanents et traversent toutes les époques.

L'AFFAIRE ROUSSEAU

Cette fois, il s'agit de faits exclusivement contemporains : ils concernent la manière dont Jean-Jacques Rousseau s'est progressivement vu exclure du groupe des philosophes dont il semblait d'abord qu'il dût légitimement faire partie.

Avec Jean-Jacques Rousseau, les hostilités sont ouvertes depuis son étonnante déclaration de guerre à Voltaire : « Monsieur, je ne vous aime point », succédant aux escarmouches après le *Discours sur l'origine et les fondements de l'inégalité parmi les hommes* (1755) où Rousseau défend l'idée de la pureté et de la vertu de l'homme naturel que la civilisation n'a pu que corrompre. Voltaire, qui croit au contraire au progrès, s'insurge de toutes ses forces contre cette théorie. Le débat se porte rapidement sur la place publique où pamphlets et réponses s'échangent sans aménité. Bientôt Rousseau se sentira proscrit et persécuté, et y verra la main de Voltaire. Pour attiser la querelle, ce dernier publie une *Lettre à M. Hume* (octobre 1766) et des *Notes sur la lettre de M. de Voltaire à M. Hume* (novembre 1766). Deux extraits donnent le ton et la portée de cet antagonisme fondamental.

Lettre à M. Hume (octobre 1766) :

« Les folies de Jean-Jacques, et son ridicule orgueil, ne feront nul tort à la véritable philosophie, et les hommes respectables qui la cultivent en France, en Angleterre, et en Allemagne n'en seront pas moins estimés. »

La *Lettre au docteur Pansophe* (qui désigne Rousseau), de la même date, commence ainsi :

« Quoi que vous en disiez, docteur Pansophe, je ne suis certainement pas la cause de vos malheurs : j'en suis affligé, et vos livres ne méritent pas de faire tant de scandale et tant de bruit ; mais cependant ne devenez pas calomniateur, ce serait là le plus grand mal. »

Dans *L'Ingénu*, la position de Voltaire s'exprime avec beaucoup de détours : l'Ingénu n'est pas seulement un Huron, c'est aussi un Bas-Breton, mais qui a échappé aux méfaits de l'éducation à l'européenne, et qui va finir par réaliser la synthèse heureuse de son tempérament, de la nature, d'un développement personnel et de la culture.

FORMES ET LANGAGES

Réalité et fiction : le jeu voltairien

Micromégas est une histoire fantastique ; de là son sous-titre d'*Histoire philosophique.* Rien de plus « réaliste » en revanche que *L'Ingénu*, qui met en scène un public ordinaire et des situations vraisemblables. Cependant son sous-titre est équivoque : l'*Histoire véritable* désigne certes, dans les modes du XVIIIe siècle, un texte narratif éventuellement si proche du reportage et de l'enquête qu'il peut servir de pièce et d'argument dans une affaire publique réelle. Il en existe qui sont de véritables plaidoyers démonstratifs qu'un accusé lance sur la place publique pour se justifier, exactement comme nous voyons de nos jours des livres qui informent le public de telle ou telle « affaire », en donnant le point de vue subjectif de l'intéressé. Mais à l'opposé, dans la culture classique, tout le monde devait avoir présent à l'esprit le titre d'un récit de Lucien (IIe siècle), précisément intitulé *Histoire véritable* et qui est le modèle de tous les voyages imaginaires. Montesquieu reprendra le même titre pour une œuvre qui s'apparente plutôt au conte philosophique, puisqu'il s'agit des réincarnations successives d'un « métempsycosiste »[1].

C'est donc que Voltaire se plaît à brouiller les pistes en prenant le contre-pied des indications extérieures : la fiction pure de *Micromégas* rejoint la réalité d'un fait divers de l'époque ; la vraisemblance affichée de *L'Ingénu*, en se heurtant à diverses incohérences chronologiques, finit par abolir le temps et prendre, de ce fait, une signification philosophique.

1. La métempsycose croit à la réincarnation de l'âme dans plusieurs corps.

LES RÉFÉRENCES LITTÉRAIRES

Le grand et le petit

Le héros de Swift, Gulliver, dont nous avons pu soupçonner le rôle éminent qu'il a dû jouer dans l'inspiration de Voltaire, effectue ses deux premiers voyages d'abord chez des Lilliputiens, puis chez des géants. On comprend aisément qu'il y perde son sens naturel de la mesure et des proportions ; aussi, lorsqu'à l'issue du second voyage il est recueilli par les humains d'un vaisseau marchand, sa perception du monde se trouve d'abord singulièrement troublée :

« Quand j'étais monté à bord et que l'équipage faisait cercle autour de moi, je crus avoir affaire à la plus misérable petite vermine que j'aie vue de ma vie. Et il est bien vrai que pendant mon séjour chez ce monarque mon œil s'était tellement habitué aux proportions énormes des objets, que je ne pouvais supporter de me voir dans une glace, où, par comparaison, je m'apparaissais à moi-même comme un être insignifiant. » (*Voyage à Brobdingnag.*)

Voltaire, dans *Micromégas*, réussit à créer en un récit unique les mêmes désordres que ceux que produit l'enchaînement des voyages pour Gulliver. Un fait semble important : Voltaire a semé les indices qui permettent de voir dans Fontenelle le modèle du Saturnien ou nain de Saturne. Fontenelle, secrétaire de l'Académie des sciences, à la longévité exceptionnelle, s'était, paraît-il, reconnu dans certains traits de langage prêtés au nain de Saturne que Micromégas critique. Ainsi les comparaisons du début du chapitre II :

« La nature est un grand spectacle qui ressemble à celui de l'Opéra... La beauté du jour est comme une beauté blonde... mais la beauté de la nuit est une beauté brune. » (Fontenelle, *Entretiens sur la pluralité des mondes*, 1er soir.)

Signalée par l'emploi de l'italique, au chapitre V, une bonne plaisanterie :

« Le Saturnien, passant d'un excès de défiance à un excès de crédulité, crut apercevoir qu'ils travaillaient à la propagation. *Ah !* disait-il, *j'ai pris la nature sur le fait.* »

renvoie à une phrase de Fontenelle, contenue dans l'*Éloge de Tournefort*, mort en 1708 (on sait que le secrétaire de l'Académie prononce l'éloge des académiciens à leur mort). La plaisanterie tient au fait que Fontenelle, en présentant les travaux du naturaliste Tournefort, se laisse aller à décrire la constitution des couches géologiques à peu près comme une fécondation :

« En vain la nature s'était cachée dans des lieux si profonds et si inaccessibles pour travailler à la végétation des pierres, elle fut, pour ainsi dire, prise sur le fait par des curieux si hardis. »

Mais Fontenelle, ou du moins sa transposition littéraire déguisée, se place encore sur un autre plan : il est le nain de Saturne, mais il est aussi le secrétaire de l'Académie des sciences, dans la réalité, comme à la fin de *Micromégas*, lorsqu'il ouvre le livre blanc.

Cette ambivalence fondamentale veut prouver qu'on est toujours le géant ou le nain de quelqu'un, et donc que l'ensemble de notre système de valeurs n'est fondé que sur une perception subjective et faussée du monde. C'est nous imposer une relativité universelle, qui brouille définitivement les notions de grand et de petit. C'est d'ailleurs la leçon même du nom de Micromégas.

Dans l'imaginaire voltairien, nous sommes priés de comprendre que l'homme est grand aussi longtemps qu'il s'occupe de la science et des observations scientifiques, mais que dès qu'il s'attaque aux problèmes métaphysiques, le fameux livre blanc, il redevient une mite philosophique.

Voyages et voyageurs

Voltaire prend une seconde fois le contre-pied des attentes du lecteur. Celui-ci connaît bien les récits de voyages fantastiques, qui conduisent des Européens ordinaires dans un autre monde. C'est souvent l'occasion de procéder à une comparaison et à une réévaluation de notre monde – comme dans l'épisode de l'Eldorado dans *Candide*. Or, dans *Micromégas*, ce sont au contraire les habitants de l'autre monde qui viennent à la rencontre du nôtre.

On pense alors au second modèle, celui de la visite en France de voyageurs venus d'ailleurs et qui sont stupéfaits par ce qu'ils y voient, qu'ils soient Siamois ou Persans. On croit d'abord que ce sera le sujet de *L'Ingénu*, mais le Huron n'est pas un vrai Huron ; c'est un Bas-Breton qui a été recueilli par des Hurons et élevé par eux, et c'est bien pire : les usages de notre monde lui paraissent saugrenus, en dépit de ses origines, et les Siriens et Saturniens nous comprennent finalement mieux qu'il ne le fait.

Le roman polisson

Comme dans de nombreux romans du XVIIIe siècle, Voltaire joue à soutenir ou retenir l'attention du lecteur en procédant de manière allusive à divers sous-entendus égrillards concernant les choses de l'amour et du sexe.

On en trouve l'essentiel dans les six premiers chapitres de *L'Ingénu*, et presque rien dans *Micromégas*, d'où les personnages féminins sont d'ailleurs absents, à la réserve seulement de la maîtresse du Saturnien et des Lapones de l'expédition Maupertuis.

Le roman historique

Le grand modèle du roman « historique » avec lequel tous les auteurs tentent de rivaliser pendant longtemps est *La Princesse de Clèves*: l'action y est située à une époque relativement proche, et dans un univers encore compréhensible. Mais, comme dans *L'Ingénu*, il est possible que l'actualité d'alors interfère avec les événements contemporains. Tout se passe comme si on était incapable d'écrire des événements récents sans laisser transparaître derrière le monde décrit des références subtiles à l'actualité. Voltaire joue constamment avec cette technique, qu'il signale d'ailleurs explicitement, par exemple dans *Micromégas*, au chapitre III, où se trouve une allusion sibylline :

« Ils passèrent dans Jupiter même, et y restèrent une année, pendant laquelle ils apprirent de fort beaux secrets, qui seraient actuellement sous presse sans messieurs les inquisiteurs, qui ont trouvé quelques propositions un peu dures. Mais j'en ai lu le manuscrit dans la bibliothèque de l'illustre archevêque de ... qui m'a laissé voir ses livres avec cette générosité et cette bonté qu'on ne saurait assez louer. »

À quoi l'édition originale de 1752 ajoutait :

« Aussi je lui promets un long article dans la première édition que l'on fera de Moréri[1], et je n'oublierai pas surtout messieurs ses enfants, qui donnent une si grande espérance de perpétuer la race de leur illustre père. »

Le but de cette insertion est sans doute de suggérer un enracinement du texte dans l'actualité immédiate du lecteur ; par là se trouve indiquée en même temps la portée philosophique d'un texte qui est vrai non seulement vers 1737-1739 (date de sa rédaction), ou en 1752 (date de sa publication), mais pour tous les temps et toutes les époques. Au-delà de la plaisanterie sur les fils d'archevêque, et quoique l'allusion reste pour nous indéchiffrable, sa fonction demeure, qui est de signaler qu'il existe des esprits éclairés, protecteurs de la liberté d'expression et de pensée, jusque dans les rangs de l'Église. C'est d'ailleurs tout à fait conforme à ce que nous savons des habitudes du temps, où, au moment même où des poursuites étaient engagées contre *L'Encyclopédie*, la cour, les grands, le roi lui-même sans doute, en cachaient des exemplaires personnels.

1. Louis Moréri, *Grand Dictionnaire historique*, 1674, plusieurs fois réédité.

On a souvent admiré Voltaire historien d'avoir été le premier à comprendre que l'histoire devait être moins celle des hommes et des événements mémorables que celle des mœurs et des étapes de la civilisation. C'est ce qu'il a tenté, notamment dans *Le Siècle de Louis XIV*, où il accorde une place intéressante aux arts, à l'opinion et à l'économie. Mais aussi, on lui a souvent reproché de n'avoir pas eu la capacité de faire revivre l'époque passée, comme sauront le faire ensuite les historiens au XIXe siècle. *L'Ingénu* constitue justement une tentative pour faire revivre au quotidien un homme du règne de Louis XIV. Mais il est tout aussi aisé de rétorquer que l'économie du livre est étrange, qui enferme l'Ingénu entre les quatre murs d'une prison pendant l'essentiel de l'ouvrage, comme si la relation d'événements intérieurs importait plus que toute autre chose.

On se souviendra que la conclusion de *Candide* était une invitation à la culture. Dans sa prison, l'Ingénu ne fait pas autre chose que se cultiver et c'est ce qui va faire de lui un homme digne de ce nom. Le caractère historique du roman n'est donc qu'une caution commode.

Le roman sentimental

Julie ou la Nouvelle Héloïse de Rousseau et son prodigieux succès étaient une source constante d'irritation pour Voltaire. Il a écrit des pages cinglantes contre ce qu'il y trouvait d'incohérent ou de pervers ; mais c'est surtout que ce roman marque le triomphe d'un genre romanesque auquel Voltaire semble inapte à première vue, le roman sentimental. On peut cependant lire comme une sorte de défense ou de plaidoyer personnel ces lignes du chapitre XX, où il s'agit apparemment de Gordon : « car il n'était pas de ces malheureux philosophes qui s'efforcent d'être insensibles ».

Le roman sentimental s'est introduit essentiellement sous l'influence du roman anglais (Richardson et Fielding) et a trouvé en France un vulgarisateur de talent avec l'abbé Prévost dans ses propres romans comme dans sa traduction de Richardson.

Qu'on relise alors les derniers chapitres de *L'Ingénu* organisés autour des remords, de l'agonie et de la mort de la belle Saint-Yves. On ne peut nier qu'une certaine émotion n'y soit à l'œuvre et que Voltaire ne sache agir sur la sensibilité du lecteur ; il est vrai que son expérience de dramaturge a pu le servir dans cet art de manier l'émotion. Il n'en reste pas moins vrai que, par contraste avec le reste du roman, on peut demeurer perplexe devant ces pages-là, et se demander en particulier si elles n'ont pas une fonction ironique.

Il s'agissait sans doute pour lui d'éviter l'impression desséchante d'un pur roman d'idées et de culture ; il fallait en somme donner chair et cœur à une création un peu froide ; reste à apprécier la valeur de cette concession aux goûts du temps. Et puisque c'était à la mode, Voltaire a sans doute voulu démontrer de façon éclatante qu'il était capable de faire aussi bien, sinon mieux, que Rousseau (voir p. 205-206).

L'ESPRIT DE VOLTAIRE

L'écriture de Voltaire est un enchantement, tant l'esprit (au sens où l'on parle d'une conversation « spirituelle ») y est sans cesse distillé, fait d'allusions subtiles, de sous-entendus et de rencontres qui portent à réfléchir. Ce qui engendre la présence d'un sens caché sous les apparences : le texte alors recèle toujours plus de significations que celle, évidente, qu'il a l'air de porter superficiellement, si bien qu'on a pris l'habitude facile de parler de l'ironie voltairienne. Ce n'est là qu'un à-peu-près, car l'ironie à proprement parler développe derrière les apparences un sens caché certes, mais ce sens est dit « contraire » aux apparences, si bien que la dénomination est loin de convenir à tous les cas possibles de signification masquée. On peut donc tenter de reconnaître plus généralement les traits marquants du style de Voltaire.

Les jeux de mots

Ex. 1 et 2 (*Micromégas*, chap. I) : « il s'appelait Micromégas, nom qui convient fort à tous les grands » ; « une cour qui n'était remplie que de tracasseries et de petitesses ».

L'opération réside ici dans le choix des mots. Si on remplaçait « grands » par « géants » et « petitesses » par « mesquineries », disparaîtraient les sens cachés, liés à la polysémie* des mots choisis, qui ont plusieurs sens possibles, également activables.

– *Grands* : sert à nommer, sous l'Ancien Régime, les nobles qui fréquentent la cour. À côté de la désignation concrète de ceux qui sont de haute taille, apparaît donc un sens abstrait, qui rappelle aux grands de ce monde qu'ils ne sont jamais que des petits.

– *Petitesses* : réalise l'opération inverse, puisque si on lui attribue d'emblée un sens moral, on ne peut exclure secondairement de lui faire évoquer la petite taille de ceux qui se complaisent dans les détails mesquins. À quoi l'homme est volontiers sujet, justement à cause de sa petite taille.

Ce sont là des faits de langue qui font réfléchir parce que le sens n'est pas donné entièrement d'abord, mais résulte au contraire de l'application et de la réflexion du lecteur.

La référence

Ex. 3 et 4 (*Micromégas*, chap. I) : « nous autres, citoyens de la terre » ; « nous autres sur notre petit tas de boue ».

« Nous » et « notre » associent le narrateur, le lecteur et d'autres : le lecteur se trouve donc impliqué dans une triple opération :

– Par l'**ex. 3**, le lecteur se voit défini, presque à son insu, comme un « citoyen de la terre » ; c'est une façon subtile d'imposer une sorte de cosmopolitisme, ou au moins d'humanisme, qui abolit les frontières des États et toute notion stérile de nationalisme.

– Par l'**ex. 4**, la Terre est évoquée à travers l'image dévalorisante du « tas de boue » (on sait quelles valeurs dénigrantes sont attachées au mot « boue ») : l'orgueil des Terriens est mis à mal.

– Par la combinaison des **ex. 3 et 4**, le narrateur se pose avec un double statut de participant et d'observateur désintéressé ; il est capable de voir relativement le peu d'importance de la Terre : au lecteur d'en faire autant.

Ex. 5 (*Micromégas*, chap. I) : « il étudiait, selon la coutume, au collège des jésuites de sa planète ».

La parenthèse « selon la coutume », et plus spécialement l'article défini « la », suppose une convention tacite qui fait que le lecteur est capable d'identifier la coutume dont il s'agit : c'est celle qui est en vigueur pour lui. On juge de son étonnement d'apprendre que sur Sirius les jésuites sont tout aussi omniprésents que dans sa petite ville française – manière adroite de suggérer la toute-puissance de cette compagnie, et sa mainmise « planétaire » sur l'éducation de la jeunesse.

Ex. 6 : « vers les 450 ans, au sortir de l'enfance » ; « il disséqua beaucoup de ces petits insectes qui n'ont pas cent pieds de diamètre ».

Le même procédé est utilisé ici : on joue sur notre définition conventionnelle de l'enfance, signalée là encore par l'article défini ; ou sur l'adjectif démonstratif de « ces petits insectes », qui feint de considérer que nous avons tous vu ces « petits » animaux dont la taille est rendue sensible par la négation (le chapitre V nous rappelle que la taille des hommes est d'« environ cinq pieds ».)

Le présent de narration

Ex. 7 : « M. Micromégas a de la tête aux pieds... » ; « quant à son esprit, c'est un des plus cultivés que nous ayons ».

Bien que la narration ait commencé au passé (« il y avait un jeune homme de beaucoup d'esprit »), il arrive que soudainement on emploie un présent dit de narration. Ce dernier impose une vision actuelle des faits : le texte se comporte alors comme un véritable reportage dans lequel on saisit les choses, directement et sur-le-champ. Ce procédé, assez fréquent dans les deux textes, a donc pour effet de mettre en quelque sorte, sous les yeux du lecteur, la réalité décrite.

Le style coupé

Trait d'écriture de l'époque, mais aussi fortement dépendant des habitudes de la ponctuation, le style coupé utilise de brefs segments de phrase, juxtaposés ou simplement coordonnés (ce qui exclut toute subordination un peu complexe). Il permet toutes sortes de fonctionnements allusifs car il appartient au lecteur de restituer les étapes manquantes et de rétablir la continuité et la cohérence de la pensée.

Ex. 8 : « ce n'est pas que je prétende que M. Derham ait mal vu, à Dieu ne plaise ! mais Micromégas était sur les lieux, c'est un bon observateur, et je ne veux contredire personne. » (*Micromégas*, chap. I.)

Profitant de l'intrusion d'un segment exclamatif (« à Dieu ne plaise »), la phrase se disloque et juxtapose des éléments qui forment autant d'étapes d'un raisonnement :

– « ce n'est pas que je prétende » : la négation et le subjonctif laissent entendre : « il est possible que M. Derham ait mal vu » ;

– « mais » : contradiction ;

– « Micromégas était sur les lieux » et donc, à cause de la contradiction introduite par « mais », M. Derham n'y était pas ;

– « c'est un bon observateur » : le présent confirme jusqu'à aujourd'hui cette qualité de Micromégas ; emportés par la contradiction précédente, nous concluons que M. Derham n'en était pas un ;

– « et je ne veux contredire personne » = je ne veux pas contredire Micromégas, DONC je contredis M. Derham.

Cette dernière formule est proprement ironique, puisque, en même temps qu'il affirme qu'il ne le fait pas, il le fait.

Ex. 9 : « Mons de Louvois n'aurait peut-être pas été satisfait des souhaits de l'Ingénu : il avait une autre sorte de mérite. » (*L'Ingénu*, chap. XIX.)

L'Ingénu vient de tracer le portrait d'un ministre idéal, qui n'a aucun point commun avec celui de Louvois. Sous des apparences positives, le segment de phrase « il avait une autre sorte de mérite » s'interprète négativement : il n'avait aucun mérite. C'est l'ironie.

L'énonciation

Ex. 10 : « Enfin il vit le jésuite ; celui-ci le reçut à bras ouverts, lui protesta qu'il avait toujours eu pour lui une estime particulière, ne l'ayant jamais connu. » (*L'Ingénu*, chap. XIV.)

Le dernier segment de phrase (« ne l'ayant jamais connu ») a l'air, grâce au style coupé, d'être mis sur le même plan que ce qui précède et qui est le discours indirect prêté au père de La Chaise. Naturellement c'est un commentaire du narrateur, qui dévalorise complètement le propos et l'attitude du jésuite, et traduit son hypocrisie.

L'analogie

Les comparaisons et leur ridicule sont dénoncés au début du chapitre II de *Micromégas*. Ce qui n'empêche évidemment pas Voltaire d'en faire un usage spécialement raffiné.

Ex. 11 : « Elle imagina de s'adresser à un jésuite du bas étage ; il y en avait pour toutes les conditions de la vie, comme Dieu, disaient-ils, a donné différentes nourritures aux diverses espèces d'animaux. Il avait donné au roi son confesseur, que tous les solliciteurs de bénéfices appelaient le chef de l'Église gallicane ; ensuite venaient les confesseurs des princesses ; les ministres n'en avaient point : ils n'étaient pas si sots. » (*L'Ingénu*, chap. XIII.)

La logique de la comparaison est complètement aberrante et provoque des effets comiques. Les termes en sont :

– Il y a des jésuites de différentes espèces / correspondant aux / diverses conditions (couches sociales)

COMME :

– il y a différentes nourritures / correspondant aux / diverses espèces animales

Une lecture verticale donne :

/ jésuites = nourriture / et / hommes = animaux /, ce qui n'est pas sans rappeler la propagande jésuite sur ses missionnaires martyrs, notamment en pays lointains. Mais le jeu se poursuit, suggérant cette fois des éléments logiques déductibles du parallélisme :

– « les ministres n'en avaient point » = point de nourriture ?

– « ils n'étaient pas si sots » = que les autres ?

L'enthymème

Ex. 12 : « Ah ! lui dit Saint-Yves, que je vous aimerais si vous ne vouliez pas être tant aimé ! » (*L'Ingénu*, chap. XVII.)

Il s'agit d'un procédé par lequel un raisonnement complet se trouve exposé seulement par bribes. Il est fondé ici :

– sur les divers sens possibles du verbe « aimer » ;

– sur l'emploi de l'hypothèse, qui suggère les propositions contraires = comme vous voulez être aimé (amour physique), je ne vous aime pas (je vous hais).

Le passage qui suit est comme un condensé de ces procédés :

Ex. 13 : « Il tomba un jour sur une histoire de l'empereur Justinien. On y lisait que des apédeutes de Constantinople avaient donné, en très mauvais grec, un édit contre le plus grand capitaine du siècle, parce que ce héros avait prononcé ces paroles dans la chaleur de la conversation : *La vérité luit de sa propre lumière, et on n'éclaire pas les esprits avec les flammes des bûchers.* Les apédeutes assurèrent que cette proposition était hérétique, sentant l'hérésie, et que l'axiome contraire était catholique, universel et grec : *On n'éclaire les esprits qu'avec la flamme des bûchers, et la vérité ne saurait luire de sa propre lumière.* Ces linostoles condamnèrent ainsi plusieurs discours du capitaine et donnèrent un édit.

"Quoi ! s'écria l'Ingénu, des édits rendus par ces gens-là ! – Ce ne sont point des édits, répliqua Gordon, ce sont des contre-édits dont tout le monde se moquait à Constantinople, et l'empereur tout le premier : c'était un sage prince qui avait su réduire les apédeutes linostoles à ne pouvoir faire que du bien. Il savait que ces messieurs-là et plusieurs autres pastophores avaient lassé de contre-édits la patience des empereurs ses prédécesseurs en matière plus grave. – Il fit fort bien, dit l'Ingénu ; on doit soutenir les pastophores et les contenir." » (*L'Ingénu*, chap. XI.)

On y trouve :

– des mots forgés, qui sont soumis à réinterprétation : « apédeutes », « linostoles », « pastophores » ;

– un mot allusif : « édit » et « contre-édit », qui fait allusion à la révocation de l'édit de Nantes ;

– un passage au présent (« on doit soutenir les pastophores et les contenir ») qui impose d'appliquer l'histoire au temps présent ;

– une énumération dans laquelle figure le mot « catholique », apparemment dans son sens étymologique de « universel », mais qui fait tellement redondance que l'on est bien forcé de lui donner aussi son sens précis et historique.

L'ensemble du texte fonctionne alors comme une image codée d'une autre réalité qu'il suggère sans la nommer précisément.

LA STRUCTURE DE *MICROMÉGAS*

Chapitres	PROTAGONISTES		PARCOURS	
	Micromégas	Saturnien		
1			De Sirius à Saturne	Vers la Terre
2			Conversation sur Saturne	
3			Saturne → Jupiter → Mars → Terre	
4			Découverte du vaisseau	Vers les hommes
5			Découverte des hommes	
6			Conversation sur la science	Vers la sagesse
7			Conversation sur la guerre, l'astronomie, la métaphysique	

LA STRUCTURE DE *L'INGÉNU*

Chapitres	L'Ingénu et Saint-Yves réunis	L'Ingénu seul	L'Ingénu et Gordon	Saint-Yves seule	LIEUX
1					
2					
3					
4					Basse-Bretagne
5					
6		[Saint-Yves au couvent]			
7					
8					Saumur
9					Versailles
10					
11					La Bastille
12					
13					Versailles
14					La Bastille
15					
16					Versailles
17					
18					
19					Paris
20					

LES THÈMES

GRANDS ET DEMI-GRANDS

Lorsque Pascal médite sur l'immensité du cosmos, il aboutit au constat du néant de l'homme (voir p. 202). Chez Voltaire, l'imaginaire cosmique demeure plus souriant et plus fantaisiste, et les conclusions tirées se situent sur le plan moral : il s'agit de rabaisser l'orgueil de l'homme en lui rappelant la médiocrité de sa condition.

Micromégas n'est jamais, selon son nom même, qu'un « petit-grand », et il n'ignore pas que, malgré ses dimensions prodigieuses, il existe encore mieux et plus grand que lui dans la création. Le Saturnien n'est qu'un nain pour son compagnon et un immense géant pour les hommes. Cette position ambiguë lui est d'ailleurs confirmée à dessein : n'est-il pas secrétaire de l'Académie des sciences, comme son homologue humain de la fin du texte, celui qui se charge d'ouvrir le livre blanc de la philosophie légué par Micromégas ?

Tel est donc l'homme dans l'univers, tantôt géant et tantôt nain, mite philosophique aussi parfois. L'avertissement donné aux hommes est donc de s'en tenir à une sage modestie. Le conseil vaut aussi sur le plan simplement humain de *L'Ingénu* où il apparaît au détour d'une phrase à propos de la malheureuse Saint-Yves :

« Enfin sa compagne sortit de l'arrière-cabinet, tout éperdue, sans pouvoir parler, réfléchissant profondément sur le caractère des grands et des demi-grands qui sacrifient si légèrement la liberté des hommes et l'honneur des femmes. » (chap. XV.)

LUMIÈRE ET LIBERTÉ

Curieusement, l'astronomie conduit surtout l'Ingénu à une méditation sur la liberté. C'est tout à la fin du chapitre XI, et on peut en retenir principalement cette phrase :

« La lumière faite pour tout l'univers est perdue pour moi. »

La double signification du mot « lumière » est judicieusement utilisée par Voltaire. Dans son sens premier, il procède directement des études d'astronomie que l'Ingénu vient d'entreprendre et désigne bien sûr la lumière du soleil dont le prisonnier est privé dans son cachot. Mais on sait que le XVIIIe siècle développera particulièrement le sens figuré du mot, et son emploi au pluriel, pour désigner aussi bien l'intelligence qui rend toutes les choses claires, que la tâche qui revient aux philosophes d'éclairer les autres et de chasser les ténèbres de l'obscurantisme dans lesquelles toutes les tyrannies cherchent à envelopper et maintenir les hommes.

a) La liberté est le premier et le plus précieux de tous les biens. Tous le disent dans *L'Ingénu*, depuis le Huron (« Je suis né libre comme l'air », chap. XIV) jusqu'à Gordon (« le bien le plus précieux des hommes, la liberté », chap. X), et le narrateur (« Ainsi sa philosophie naissante ne pouvait dompter la nature outragée dans le premier de ses droits, et laissait un libre cours à sa juste colère », chap. XIV).

Mlle de Saint-Yves, au chapitre VI, est enfermée dans un couvent par l'autorité de son frère, qui est aussi son tuteur : « Ce fut un coup terrible ». Les réactions du Huron, lorsqu'il l'apprend, sont les mêmes que celles du lecteur indigné, et se font au nom de la nature :

« Sitôt qu'il fut instruit que cette assemblée était une espèce de prison où l'on tenait les filles enfermées, chose horrible, inconnue chez les Hurons et chez les Anglais, il devint aussi furieux que le fut son patron Hercule... » (chap. VI.)

Plus tard, elle sera menacée encore d'une lettre de cachet, ce qui lui arrachera ce cri, dans lequel on peut voir un cri de Voltaire lui-même : « On est donc bien libéral de lettres de cachet dans vos bureaux ». (chap. XV.) La lettre de cachet, ainsi nommée parce qu'elle est fermée, contient un ordre d'emprisonnement indiscutable de la part du roi et n'a donc pas à être justifiée (elle ne relève pas des tribunaux par exemple) : elle constitue sans doute la manifestation la plus ordinaire de l'absolutisme et de l'arbitraire.

b) La décision d'enfermer la malheureuse dans un couvent a été prise par son frère sur le conseil du bailli, qui agit pour de basses raisons personnelles (il veut que Mlle de Saint-Yves épouse son fils). La conjonction des pouvoirs est aussi à l'origine de l'emprisonnement de l'Ingénu :

« Ce même jour, le révérend père de La Chaise, confesseur de Louis XIV, avait reçu la lettre de son espion, qui accusait le Breton Kerkabon de favoriser dans son cœur les huguenots, et de condamner la conduite des jésuites. Monsieur de Louvois, de son côté, avait reçu une lettre de l'interrogant bailli, qui dépeignait l'Ingénu comme un garnement qui voulait brûler les couvents et enlever les filles. » (chap. IX.)

C'est justement cette conjonction du pouvoir civil et du pouvoir religieux qui constitue le scandale, mais son plus haut point est atteint lorsque ce sont les opinions mêmes de la victime qui sont la cause des persécutions qu'elle essuie.

c) Voltaire refuse toute distinction entre la liberté tout court et la liberté de pensée : la liberté ne se divise pas.

Micromégas est deux fois victime d'un pouvoir religieux exorbitant qui le condamne pour ses opinions : celui du muphti de son pays, qui le contraint à s'exiler au chapitre I, et celui de l'Inquisition qui les empêche, lui et le Saturnien, de publier les résultats de leurs observations scientifiques sur Jupiter, au chapitre III. On sait que l'Inquisition, chargée de réprimer les hérésies, comportait aussi le tribunal de l'Index : sa tâche était de proscrire les livres dont la lecture était jugée dangereuse pour les catholiques ; ce tribunal de l'Index n'a été supprimé qu'au XXe siècle. Si bien que la leçon essentielle des deux livres se trouve efficacement formulée au chapitre XI de *L'Ingénu* :

« Il tomba un jour sur une histoire de l'empereur Justinien. On y lisait que des apédeutes de Constantinople avaient donné, en très mauvais grec, un édit contre le plus grand capitaine du siècle, parce que ce héros avait prononcé ces paroles dans la chaleur de la conversation : *La vérité luit de sa propre lumière, et on n'éclaire pas les esprits avec les flammes des bûchers.* »

On voit ici se réunir le thème des lumières et celui de la liberté ; cette réunion est révélatrice de la cohérence de la pensée de nos deux romans.

LA LOI NATURELLE

Il y a une même continuité cohérente entre la nature et la loi qu'entre la nature et la liberté. Une longue démonstration permet de passer de la loi naturelle à la loi positive, en montrant la supériorité de cette dernière, car elle vaut convention entre les hommes de bonne volonté.

« Mademoiselle de Saint-Yves se rajusta en rougissant. On emmena l'Ingénu dans un autre appartement. L'abbé lui remontra l'énormité du procédé. L'Ingénu se défendit sur les privilèges de la loi naturelle, qu'il connaissait parfaitement. L'abbé voulut prouver que la loi positive devait avoir tout l'avantage, et que, sans les conventions faites entre les hommes, la loi de nature ne serait presque jamais qu'un brigandage naturel. "Il faut, lui disait-il, des notaires, des prêtres, des témoins, des contrats, des dispenses." L'Ingénu lui répondit par la réflexion que les sauvages ont toujours faite : "Vous êtes donc de bien malhonnêtes gens, puisqu'il faut entre vous tant de précautions."

L'abbé eut de la peine à résoudre cette difficulté. "Il y a, dit-il, je l'avoue, beaucoup d'inconstants et de fripons parmi nous, et il y en aurait autant chez les Hurons s'ils étaient rassemblés dans une grande ville ; mais aussi il y a des âmes sages, honnêtes, éclairées, et ce sont ces hommes-là qui ont fait les lois. Plus on est homme de bien, plus on doit s'y soumettre ; on donne l'exemple aux vicieux, qui respectent un frein que la vertu s'est donné elle-même."

Cette réponse frappa l'Ingénu. On a déjà remarqué qu'il avait l'esprit juste. » (*L'Ingénu*, chap. VI.)

Encore convient-il de rappeler que la loi naturelle est éternelle et infiniment supérieure aux lois de circonstance, inventées pour régler une difficulté momentanée ou servir au bon plaisir de tel souverain, comme le rappelle le *Commentaire sur le livre des délits et des peines* (1766), chapitre XIV, « De la différence des lois politiques et des lois naturelles » :

« J'appelle lois naturelles celles que la nature indique dans tous les temps, à tous les hommes, pour le maintien de cette justice que la nature, quoi qu'on en dise, a gravée dans nos cœurs. Partout le vol, la violence, l'homicide, l'ingratitude envers les parents bienfaiteurs, le parjure commis pour nuire et non pour secourir un innocent, la conspiration contre sa patrie, sont des délits évidents, plus ou moins sévèrement réprimés, mais toujours justement.

J'appelle lois politiques ces lois faites selon le besoin présent, soit pour affermir la puissance, soit pour prévenir des malheurs. »

Les lois de convention présentent cet avantage qu'elles sont sans cesse perfectibles, et Voltaire appelle de ses vœux un alignement sur le modèle anglais par exemple :

« Il n'y a donc point de lois dans ce pays ! On condamne les hommes sans les entendre. Il n'en est pas ainsi en Angleterre. » (*L'Ingénu*, chap. XIV.)

et, en général, toute amélioration du système juridique :

« De quelque côté qu'on jette les yeux, on trouve la contrariété, la dureté, l'incertitude, l'arbitraire. Nous cherchons dans ce siècle à tout perfectionner ; cherchons donc à perfectionner les lois dont nos vies et nos fortunes dépendent. » (*Commentaire sur le livre des délits et des peines*, XXIII.)

LA RELIGION NATURELLE

La cohérence encore, puisque la liberté ne se divise pas, veut qu'il n'y ait nulle rupture entre la liberté de mouvement, la liberté de pensée, et la liberté morale et le libre-arbitre, c'est-à-dire, dans le plan divin, la liberté laissée à l'homme d'assumer l'entière responsabilité de ses choix de vie. C'est Gordon qui nous invite à mesurer l'analogie des deux plans :

« J'ai consumé mes jours à raisonner sur la liberté de Dieu et du genre humain, mais j'ai perdu la mienne. » (*L'Ingénu*, chap. XIV.)

Si bien qu'il n'y a aucune rupture entre la loi naturelle et une religion naturelle :

« Celui qui pense que Dieu a daigné mettre un rapport entre lui et les hommes, qu'il les a faits libres, capables du bien et du mal, et qu'il leur a donné à tous ce bon sens qui est l'instinct de l'homme, et sur lequel est fondée la loi naturelle ; celui-là sans doute a une religion beaucoup meilleure que toutes les sectes qui sont hors de notre Église ; car toutes ces sectes sont fausses, et la loi naturelle est vraie. Notre religion révélée n'est même, et ne pouvait être que cette loi naturelle perfectionnée. Ainsi le théisme est le bon sens qui n'est pas encore instruit de la révélation, et les autres religions sont le bon sens perverti par la superstition. » (*La Défense de mon oncle*, 1767, « Post-scriptum : Défense d'un jardinier ».)

Cette religion naturelle est ce que Voltaire appelle le **théisme**, une religion qui respecte le créateur et lui rend grâce, mais ne saurait s'embarrasser ni du culte, ni des cérémonies, ni des dogmes, ni des querelles d'école, bref de rien de ce qui fait le désordre des religions constituées.

« Les principes de la raison universelle sont communs à toutes les nations policées, toutes reconnaissent un Dieu ; elles peuvent donc se flatter que cette connaissance est une vérité. Mais chacune d'elles a une religion différente ; elles peuvent donc conclure qu'ayant raison d'adorer un Dieu, elles ont tort dans tout ce qu'elles ont imaginé au-delà. » (*Examen important de Milord Bolingbroke*, 1767.)

NATURE ET CULTURE

Si donc la nature, la loi naturelle, est le fondement de l'ensemble du système religieux et politique, un autre débat mérite d'être ouvert. C'est celui qui oppose Voltaire à Rousseau : l'état de nature serait-il préférable à tout, à la civilisation et au progrès ?

À cela, Voltaire va répondre plutôt subtilement, en constituant le personnage du Huron-Ingénu, riche et divers, et par là révélateur de la complexité du débat.

a) Le Huron n'est vraiment appelé de ce nom qu'au début du texte, et lorsque la dénomination de « sauvage » lui est appliquée, c'est toujours avec des correctifs et des atténuations : « Cet enfant presque sauvage » (*L'Ingénu*, chap. XI) ; « Je n'étais alors qu'un sauvage. » (*L'Ingénu*, chap. XVIII.)

Très vite il perd son nom pour devenir l'Ingénu, en même temps qu'il se découvre qu'il n'est pas un sauvage mais un Bas-Breton ; les dés sont pipés : nous n'avons pas affaire à un primitif.

b) Deux passages se font écho, aux chapitres XI et XIX de *L'Ingénu* :

« Je serais tenté, dit-il, de croire aux métamorphoses, car j'ai été changé de brute en homme. » (Il s'agit de l'Ingénu.)

« L'âpreté de ses anciennes opinions sortait de son cœur ; il était changé en homme ainsi que le Huron. » (Il s'agit de Gordon.)

Cette symétrie signifie que Gordon lui aussi fait son éducation ; elle se fait, au rebours de celle de l'Ingénu, par désapprentissage. C'est que tous les hommes, jeunes et vieux, demi-sauvages ou solitaires, sont semblables dans leur diversité. Micromégas le rappelle :

« J'ai été dans des pays où l'on vit mille fois plus longtemps que chez moi, et j'ai trouvé qu'on y murmurait encore. Mais il y a partout des gens de bon sens qui savent prendre leur parti et remercier l'auteur de la nature. Il a répandu sur cet univers une profusion de variétés, avec une espèce d'uniformité admirable.

Par exemple, tous les êtres pensants sont différents, et tous se ressemblent au fond par le don de la pensée et des désirs. La matière est partout étendue ; mais elle a dans chaque globe des propriétés diverses. » (chap. II.)

Mais un minimum d'intelligence est nécessaire :

« La vertu, voyez-vous, suppose des lumières, des réflexions, de la philosophie, quoique, selon vous, tout homme qui réfléchit soit un animal dépravé ; d'où il s'ensuivrait en bonne logique que la vertu est impossible. Un ignorant, un sot complet n'est pas plus susceptible de vertu qu'un cheval ou qu'un singe ; vous n'avez certes jamais vu cheval vertueux, ni singe vertueux…

Illustre Pansophe[1] ! la rage de blâmer vos contemporains vous fait louer à leurs dépens des sauvages anciens et modernes sur des choses qui ne sont point du tout louables. » (*Lettre au docteur Pansophe,* 1766.)

Et il est du devoir de l'homme de perfectionner son être :

« Pendant que notre infortuné s'éclairait plus qu'il ne se consolait ; pendant que son génie, étouffé depuis si longtemps, se déployait avec tant de rapidité et de force ; pendant que la nature, qui se perfectionnait en lui, le vengeait des outrages de la fortune, que devinrent M. le prieur et sa bonne sœur, et la belle recluse Saint-Yves ? » (*L'Ingénu*, chap. XIII.)

« Je m'imagine que les nations ont été longtemps comme moi, qu'elles ne se sont instruites que fort tard, qu'elles n'ont été occupées pendant des siècles que du moment présent qui coulait, très peu du passé, et jamais de l'avenir. J'ai parcouru cinq ou six cents lieues du Canada, je n'y ai pas trouvé un seul monument ; personne n'y sait rien de ce qu'a fait son bisaïeul. Ne serait-ce pas là l'état naturel de l'homme ? L'espèce de ce

1. Le docteur Pansophe, c'est-à-dire « très sage », est le pseudonyme dont Voltaire affuble Rousseau. Faut-il rappeler que le philosophe écervelé de *Candide* s'appelle *Pangloss* ?

continent-ci me paraît supérieure à celle de l'autre. Elle a augmenté son être depuis plusieurs siècles par les arts et par les connaissances. » (*L'Ingénu*, chap. XI.)

La nature demande donc à être « perfectionnée », « augmentée » : c'est le principal devoir de l'humanité, celui de se cultiver, ce qui n'est pas sans rappeler la conclusion de *Candide*.

L'ÉDUCATION

Au chapitre XX de *L'Ingénu*, le développement initial à propos de la maladie de Mlle de Saint-Yves s'étonne que le corps puisse dépendre de l'âme, et réciproquement :

« Quelle mécanique incompréhensible a soumis les organes au sentiment et à la pensée ? »

C'est la raison fondamentale qui révèle que l'homme est perfectible et qu'il doit se faire l'agent de son propre progrès.

a) L'Ingénu est un cas exemplaire car il n'a pas eu à subir une éducation rétrograde et fausse :

« La cause du développement rapide de son esprit était due à son éducation sauvage presque autant qu'à la trempe de son âme. Car, n'ayant rien appris dans son enfance, il n'avait point appris de préjugés. Son entendement, n'ayant point été courbé par l'erreur, était demeuré dans toute sa rectitude. Il voyait les choses comme elles sont, au lieu que les idées qu'on nous donne dans l'enfance nous les font voir toute notre vie comme elles ne sont point. » (chap. XIV.)

Mais quel cas complexe, lui qui reçoit à la fois des éléments bas-bretons, hurons, anglais, huguenots, français, avant d'acquérir une éducation religieuse (totalement inutile, semble-t-il), et enfin la vraie culture !

Le programme tracé par Voltaire à son héros est d'une ampleur que seule la longue captivité peut justifier. On peut en retenir la primauté des langues, la part égale faite aux matières scientifiques (géométrie, physique, mathématique) et littéraires (histoire, littérature), mais aussi observer que sa culture est critique et qu'il rejette la littérature polémique, l'histoire ancienne, et surtout la métaphysique.

b) L'Ingénu et Micromégas sont bien d'accord sur un point : autant l'homme se révèle admirable dans sa conquête du monde physique, le développement de la raison et de l'esprit scientifique, autant les vaines disputes de l'école sur ce qui reste de toute façon inintelligible ne peuvent que faire sourire ou déboucher sur la vanité du livre blanc.

Bien plus, les recherches sur ce point engendrent les rivalités, les guerres, la superstition et l'intolérance. Aussi sont-elles purement et simplement à bannir.

c) Le texte nous le rappelle, la condition des filles n'est pas encore la même que celle des garçons, et c'est par une autre voie que Mlle de Saint-Yves va parvenir au développement de son être :

« Ce n'était plus cette fille simple dont une éducation provinciale avait rétréci les idées. L'amour et le malheur l'avaient formée. Le sentiment avait fait autant de progrès en elle que la raison en avait fait dans l'esprit de son amant infortuné. Les filles apprennent à sentir plus aisément que les hommes n'apprennent à penser. Son aventure était plus instructive que quatre ans de couvent. » (*L'Ingénu*, chap. XVIII.)

Voltaire a bien changé, qui, s'il semble toujours faire assez peu de cas des romans d'amour, en vient quand même à justifier parfois l'amour lui-même :

« Il ne connaissait l'amour auparavant que comme un péché dont on s'accuse en confession. Il apprit à le connaître comme un sentiment aussi noble que tendre, qui peut élever l'âme autant que l'amollir, et produire même quelquefois des vertus. » (*L'Ingénu*, chap. XIV.)

Voltaire ou l'Optimisme ?

D'AUTRES TEXTES

Réécritures voltairiennes

PASCAL, *PENSÉES*, 1669-1670

L'effroi devant l'infini

« Que l'homme contemple donc la nature entière dans sa haute et pleine majesté, qu'il éloigne sa vue des objets bas qui l'environnent, qu'il regarde cette éclatante lumière mise comme une lampe éternelle pour éclairer l'univers, que la terre lui paraisse comme un point au prix du vaste tour que cet astre décrit, et qu'il s'étonne de ce que ce vaste tour lui-même n'est qu'une pointe très délicate à l'égard de celui que ces astres qui roulent dans le firmament embrassent. Mais si notre vue s'arrête là, que l'imagination passe outre. Elle se lassera plus tôt de concevoir que la nature de fournir. Tout ce monde visible n'est qu'un trait imperceptible dans l'ample sein de la nature, nulle idée n'en approche. Nous avons beau enfler nos conceptions au-delà des espaces imaginables, nous n'enfantons que des atomes au prix de la réalité des choses. C'est une sphère infinie dont le centre est partout et la circonférence nulle part. Enfin c'est le plus grand des caractères sensibles de la toute-puissance de Dieu que notre imagination se perde dans cette pensée.

Que l'homme étant revenu à soi considère ce qu'il est au prix de ce qui est, qu'il se regarde comme égaré dans ce petit canton de la nature, et que de ce petit cachot où il se trouve logé, j'entends l'univers, il apprenne à estimer la terre, les royaumes, les villes et soi-même, son juste prix.

Qu'est-ce qu'un homme, dans l'infini ? »

Blaise PASCAL, *Pensées*, paragraphe 230
« Disproportion de l'homme ».

QUESTIONS

1. Quel est le but moral et religieux poursuivi par cette évocation ?

2. Quels sont les effets recherchés par Pascal ? Par quels moyens ?

3. En comparant les chapitres VI et VII de *Micromégas* avec ce passage, étudiez les différences de ton et de traitement de l'imaginaire cosmique.

CHALLE, *LES ILLUSTRES FRANÇAISES*, 1713

Peut-on épouser sa commère ?

L'héroïne se sert de ce prétexte pour refuser de tenir[1] *un enfant avec Des Ronais, et lui fait ainsi connaître discrètement ses sentiments.*

« Il y avait un jour un ecclésiastique chez elle : on parla de plusieurs choses indifférentes, et insensiblement la conversation tomba sur le mariage, et sur ce qui pouvait l'empêcher ou le faire casser. Il dit qu'autrefois l'Église était plus rigide qu'à présent ; mais que la corruption des mœurs des chrétiens l'avait forcée d'avoir de la condescendance. Qu'autrefois on ne permettait pas que des gens qui avaient tenu un enfant ensemble[1] s'épousassent. Qu'à présent on n'en faisait aucun scrupule ; que même on n'en demandait point de dispense. Que cependant cette alliance spirituelle devait empêcher la corporelle. Que l'expérience journalière faisait voir que les enfants qui naissaient d'un pareil mariage, aussi bien que ceux qui venaient de père et de mère, parents de sang, étaient toujours malheureux dans leur fortune, et souvent corrompus dans leurs mœurs. Que Dieu faisait voir qu'il avait ces sortes d'alliances en horreur par le peu de bénédiction qu'il y répandait, quelque dispense qu'on pût obtenir, et que l'Église pût accorder pour aller au-devant du scandale, et le plus souvent pour le couvrir du manteau de sa charité. »

Robert CHALLE, *Les Illustres Françaises*,
« Histoire de M. Des Ronais et de Mlle Dupuis ».

1. Tenir un enfant ensemble sur les fonts baptismaux : lui servir de parrain et de marraine.

QUESTIONS

1. Le texte nous apprend que cette interdiction est plutôt rétrograde : en quoi est-ce éclairant pour *L'Ingénu* ?
2. Quels sont les détails qui relèvent de la superstition ?

SWIFT, *VOYAGES DE GULLIVER*, 1726

Autre cauchemar, autre vertige

La première partie a emmené le héros à Lilliput, où les habitants sont minuscules. Dans la deuxième, il a affaire à des géants.

« En dépit de mon épouvante et de ma confusion d'esprit, je ne pouvais m'empêcher de poursuivre ces réflexions, quand un des moissonneurs s'approcha à moins de cinq toises du rebord de sillon où je me trouvais. Je me dis que, s'il faisait un pas de plus, j'allais périr écrasé sous son pied, ou coupé en deux par sa faucille. Je me mis donc, au moment où il allait bouger, à hurler de toute la force que me donnait la terreur. Le géant s'arrêta net, et, après avoir cherché à ses pieds quelques instants, il m'aperçut, couché par terre. Il m'observa d'abord avec méfiance, comme quelqu'un qui s'apprête à mettre la main sur une petite bête dangereuse, et veut éviter de se faire mordre ou griffer. C'est ainsi que je procédais moi-même en Angleterre avec les belettes. Enfin il s'enhardit à me saisir par le milieu du corps entre le pouce et l'index et m'éleva à trois yards de ses yeux pour examiner soigneusement mon aspect. Je compris ce qu'il voulait faire, et j'eus la chance de garder assez de présence d'esprit pour ne pas me débattre, tandis qu'il me tenait en l'air à plus de soixante pieds du sol en me serrant horriblement les côtes pour ne pas me laisser glisser entre ses doigts. Tout ce que j'osai faire fut de lever les yeux au ciel et de joindre les mains d'un air suppliant tout en prononçant quelques mots d'une voix humble et triste qui convenait à ma situation. Car je craignais à chaque instant qu'il ne me jetât au sol comme nous le faisons pour écraser les vilaines petites bêtes que nous voulons détruire, mais grâce à ma bonne étoile il parut touché par mon attitude et ma voix, et il se mit à me regarder comme un objet curieux, fort surpris de m'entendre articuler des mots même incompréhensibles. Cependant je ne pouvais m'empêcher de gémir et de verser des larmes, tout en faisant pencher ma tête vers mes flancs pour lui faire comprendre, du mieux que je pouvais, combien il me faisait souffrir en me serrant si fort. Il parut s'en rendre compte : il releva un pan de son habit, m'y déposa doucement, et courut aussitôt m'apporter à son maître. Celui-ci était le riche fermier que j'avais vu d'abord dans le champ. »

Jonathan SWIFT, *Voyages en plusieurs lointaines contrées du monde, en quatre parties, par Lemuel Gulliver*, IIe partie, « Voyage à Brobdingnag » (1re éd. française, 1727).

QUESTIONS

1. Comment la relativité des notions de grand et de petit est-elle rendue sensible ici ?

2. En quoi est-ce une leçon de modestie ? Quel détail récurrent le manifeste clairement ?

3. Comment se fait la communication entre des êtres si dissemblables ? Quels sont leurs points communs ?

4. Par rapport à ce texte, qu'est-ce qui fait l'originalité du chapitre VI de *Micromégas* ?

ROUSSEAU, *JULIE OU LA NOUVELLE HÉLOÏSE*, 1761

La belle mort

« Jamais elle ne fut plus tendre, plus vraie, plus caressante, plus aimable, en un mot, plus elle-même. Toujours du sens, toujours du sentiment, toujours la fermeté du sage, et toujours la douceur du chrétien. Point de prétention, point d'apprêt, point de sentence ; partout la naïve expression de ce qu'elle sentait ; partout la simplicité de son cœur. Si quelquefois elle contraignait les plaintes que la souffrance aurait dû lui arracher, ce n'était point pour jouer l'intrépidité stoïque, c'était de peur de navrer ceux qui étaient autour d'elle ; et quand les horreurs de la mort faisaient quelques instants pâtir la nature, elle ne cachait point ses frayeurs, elle se laissait consoler. Sitôt qu'elle était remise, elle consolait les autres. On voyait, on sentait son retour, son air caressant le disait à tout le monde. Sa gaîté n'était point contrainte, sa plaisanterie même était touchante ; on avait le sourire à la bouche et les yeux en pleurs. Ôtez cet effroi qui ne permet pas de jouir de ce qu'on va perdre, elle plaisait plus, elle était plus aimable qu'en santé même ; et le dernier jour de sa vie en fut aussi le plus charmant. »

Jean-Jacques ROUSSEAU, *Julie ou la Nouvelle Héloïse*,
VIe partie, lettre XI de M. de Wolmar.

QUESTIONS

1. En quoi peut-on penser que Voltaire écrit la mort de Mlle de Saint-Yves (*L'Ingénu*, chap. XX) contre le modèle proposé par Rousseau ?

2. À quoi servent les négations dans ce texte ?

QUESTIONS D'ENSEMBLE

1. Quels grands thèmes suscite la réécriture de Voltaire ? Quels points communs voyez-vous entre eux ?

2. Laquelle des réécritures vous paraît la plus féroce ? Pourquoi ?

Le voyage de formation avant *Micromégas* : l'argumentation sous le romanesque

RABELAIS, *GARGANTUA*, 1535

Les vertus du dialogue

Rien n'empêche un dialogue raisonnable et philosophique entre les pèlerins et les géants Gargantua ou son père Grangousier. La taille respective des personnages n'est donc pas un obstacle à l'acquisition de la sagesse.

« Le propos requiert que racontons ce qu'advint à six pèlerins qui venaient de Saint-Sébastien, près de Nantes, et pour soi héberger celle nuit, de peur des ennemis, s'étaient mussés[1] au jardin dessus les poisards[2], entre les choux et les laitues. Gargantua se trouva quelque peu altéré, et demanda si l'on pourrait trouver de laitues pour faire une salade. Et entendant qu'il y en avait des plus belles et grandes du pays, car elles étaient grandes comme pruniers ou noyers, y voulut aller lui-même, et en emporta en sa main ce que bon lui sembla. Ensemble emporta les six pèlerins, lesquels avaient si grand peur qu'ils n'osaient ni parler ni tousser.

Les lavant donc premièrement en la fontaine, les pèlerins disaient en voix basse l'un à l'autre : “Qu'est-y de faire ? Nous

1. **Mussés :** cachés.
2. **Poisards :** le chaume ou la tige des pois répandue sur la terre après qu'on en a détaché les gousses.

noyons ici entre ces laitues. Parlerons-nous ? Mais si nous parlons, il nous tuera comme espies[1]." »

[La suite apparaît au chapitre XLIII]

« Cependant Grangousier interrogeait les pèlerins de quel pays ils étaient, et dont ils venaient et où ils allaient.

Lasdaller pour tous répondit :

"Seigneur, je suis de Saint-Genou en Berry ; cestuy-ci est de Paluau ; cestuy-ci est de Onzay ; cestuy-ci est de Aroy ; et cestuy-ci est de Villebrenin. Nous venons de Saint-Sébastien près de Nantes, et nous en retournons par petites journées.

— Voire, mais (dit Grangousier) qu'alliez-vous faire à Saint-Sébastien ?

— Nous allions (dit Lasdaller) lui offrir nos votes[2] contre la peste."

[...] Lors dit Grangousier : "Allez vous en, pauvres gens, au nom de Dieu le créateur, lequel vous soit en guide perpétuel. Et dorénavant ne soyez faciles à ces otieux[3] et inutiles voyages. Entretenez vos familles, travaillez chacun en sa vacation, instruisez vos enfants, et vivez comme enseigne le bon apôtre saint Paul. Ce faisant, vous aurez la garde de Dieu, des anges et des saints avec vous, et il n'y aura ni peste ni mal qui vous porte nuisance." »

RABELAIS, *Gargantua*, chapitres XXXVI et XLIII.

QUESTIONS

1. Au nom de quels principes est faite la critique des pèlerinages ?

2. Quel est le ton adopté par Grangousier ? Pourquoi est-ce à un géant qu'est confiée cette critique ?

1. **Espies :** espions.
2. **Votes :** vœux.
3. **Otieux :** bons pour les paresseux.

CYRANO DE BERGERAC, *L'AUTRE MONDE OU LES ÉTATS ET EMPIRES DE LA LUNE*, 1657

Les réflexions du narrateur

Le narrateur a mis au point une machine qui le conduit sur la lune.

« Je restai bien surpris de me voir tout seul au milieu d'un pays que je ne connaissais point. J'avais beau promener mes yeux et les jeter par la campagne, aucune créature ne s'offrait pour les consoler. Enfin je résolus de marcher jusqu'à ce que la Fortune me fît rencontrer la compagnie de quelque bête ou de la mort.

Elle m'exauça car au bout d'un demi-quart de lieue je rencontrai deux fort grands animaux, dont l'un s'arrêta devant moi, l'autre s'enfuit légèrement au gîte (au moins je le pensai ainsi à cause qu'à quelque temps de là je le vis revenir accompagné de plus de sept ou huit cents de même espèce qui m'environnèrent). Quand je les pus discerner de près, je connus qu'ils avaient la taille, la figure, et le visage comme nous. Cette aventure me fit souvenir de ce que jadis j'avais ouï conter à ma nourrice des sirènes, des faunes, et des satyres. De temps en temps ils élevaient des huées si furieuses, causées sans doute par l'admiration de me voir, que je croyais quasi être devenu monstre.

Un de ces bêtes-hommes m'ayant saisi par le col, de même que font les loups quand ils enlèvent une brebis, me jeta sur son dos et me mena dans leur ville. Je fus bien étonné, lorsque je reconnus en effet que c'étaient des hommes, de n'en rencontrer pas un qui ne marchât à quatre pattes.

Quand ce peuple me vit passer, me voyant si petit (car la plupart d'entre eux ont douze coudées de longueur), et mon corps soutenu sur deux pieds seulement, ils ne purent croire que je fusse un homme, car ils tenaient, eux autres, que la nature ayant donné aux hommes comme aux bêtes deux jambes et deux bras, ils s'en devaient servir comme eux. Et en effet, rêvant depuis sur ce sujet, j'ai songé que cette situation de corps n'était point trop extravagante, quand je me suis souvenu que nos enfants, lorsqu'ils ne sont encore instruits que de la nature, marchent à quatre pieds, et ne s'élèvent sur deux que par le soin de leurs nourrices qui les dressent dans de petits chariots et leur attachent des lanières pour les empêcher de tomber sur les quatre, comme la seule assiette ou la figure de notre masse incline de se reposer. »

Cyrano de BERGERAC, *L'Autre monde ou les états et empires de la lune* (publié dans une version expurgée en 1657, deux ans après sa mort).

QUESTIONS

1. Le monde à l'envers : quels sont les fondements de nos certitudes qui se trouvent ici ébranlés ?

2. Quelle est la leçon à tirer de cette expérience ?

DUFRESNY, *AMUSEMENTS SÉRIEUX ET COMIQUES*, 1699

Anecdote et discours rapportés

Dufresny imagine un Siamois qui visite Paris et s'étonne de bien des choses.

« Un de mes amis se vantait que la plus charmante femme du monde ne pourrait jamais lui faire oublier qu'il était juge. Je vous crois, lui répondis-je ; mais tout magistrat est homme avant que d'être juge. Le premier mouvement est pour la solliciteuse ; le second pour la justice.

Une comtesse assez belle pour prévenir en faveur d'un mauvais procès le juge le plus austère fut solliciter pour un colonel contre un marchand.

Ce marchand était alors dans le cabinet de son juge, qui trouvait son affaire si claire et si juste qu'il ne put s'empêcher de lui promettre gain de cause.

À l'instant même la charmante comtesse parut dans l'antichambre ; le juge courut au-devant d'elle ; son abord, son air, ses yeux, le son de sa voix, tant de charmes enfin le sollicitèrent qu'en ce premier moment il fut plus homme que juge, et il promit à la belle comtesse que le colonel gagnerait sa cause. Voilà le juge engagé des deux côtés. En rentrant dans son cabinet, il trouva le marchand désolé : Je l'ai vue, s'écria le pauvre homme hors de lui-même, je l'ai vue, celle qui sollicite contre moi ; qu'elle est belle ! Ah, Monsieur, mon procès est perdu ! – Mettez-vous à ma place, répond le juge encore tout interdit, ai-je pu lui refuser ce qu'elle me demandait ? En disant cela, il tira d'une bourse cent pistoles ; c'était à quoi pouvaient monter toutes les prétentions du marchand. Il lui donna les cent pistoles. La comtesse sut la chose, et comme elle était vertueuse jusqu'au scrupule, elle craignit d'avoir trop d'obligation à ce juge si généreux, et lui envoya sur l'heure les cent pistoles. Le colonel, aussi galant que la comtesse était scrupuleuse, lui rendit les cent pistoles ; et ainsi chacun fit ce qu'il devait faire. Le juge craignit d'être injuste, la comtesse craignit d'être reconnaissante, le colonel paya, et le marchand fut payé.

Voulez-vous savoir mon véritable sentiment sur le procédé de ce juge ? Son premier mouvement a été pour la solliciteuse : c'est ce que je n'ose lui pardonner ; son second mouvement a été pour la justice : c'est ce que j'admire. »

Charles DUFRESNY, *Amusements sérieux et comiques*,
Amusement quatrième : le Palais.

QUESTIONS

1. Quelles sont les différentes leçons emboîtées dans cette anecdote ?

2. En quoi est-il nécessaire que le constat soit fait pour un Siamois ?

LOUIS-SÉBASTIEN MERCIER, *L'AN 2440 OU RÊVE S'IL EN FUT JAMAIS*, 1771

Emphase et romanesque

Dans ce roman d'anticipation, le narrateur est transporté en l'an 2440 : un guide lui décrit la cérémonie d'initiation qui a remplacé « ce que vous appeliez parmi vous première communion ».

« Nous choisissons une nuit où, dans un ciel serein, l'armée des étoiles brille dans tout son éclat. Accompagné de ses parents et de ses amis, le jeune homme est conduit à notre observatoire. Tout à coup nous appliquons à son œil un télescope ; nous faisons descendre sous ses yeux Mars, Saturne, Jupiter, tous ces grands corps flottant avec ordre dans l'espace : nous lui ouvrons, pour ainsi dire, l'abîme de l'infini. Tous ces soleils allumés viennent en foule se presser sous son regard étonné. Alors un pasteur vénérable lui dit d'une voix imposante et majestueuse :

"Jeune homme ! voilà le Dieu de l'univers qui se révèle à vous au milieu de ses ouvrages. Adorez le Créateur, dont la majesté resplendissante est imprimée sur le front des astres qui obéissent à ses lois. En contemplant les prodiges échappés de sa main, sachez avec quelle magnificence il peut récompenser le cœur qui s'élèvera vers lui. N'oubliez point que parmi ses œuvres augustes, l'homme doué de la faculté de les apercevoir et de les sentir tient le premier rang, et qu'enfant de Dieu il doit honorer ce titre respectable !"

Alors la scène change : on apporte un microscope ; on lui découvre un nouvel univers, plus étonnant, plus merveilleux encore que le premier. Ces points vivants que son œil aperçoit pour la première fois, qui se meuvent dans leur inconcevable petitesse, et qui sont doués des mêmes organes appartenant aux colosses de la terre, lui présentent un nouvel attribut de l'intelligence du Créateur.

Le pasteur reprend du même ton :

“Êtres faibles que nous sommes, placés entre deux infinis, opprimés de tout côté sous le poids de la grandeur divine, adorons en silence la même main qui alluma tant de soleils, imprima la vie et le sentiment à des atomes imperceptibles ! Sans doute l'œil qui a composé la structure délicate du cœur, des nerfs, des fibres du ciron, lira sans peine dans les derniers replis de notre cœur. Quelle pensée intime peut se dérober à ce regard absolu devant lequel la Voie lactée ne paraît pas plus que la trompe de la mite ? Rendons toutes nos pensées dignes du Dieu qui les voit naître et qui les observe. Combien de fois dans le jour le cœur peut s'élancer vers lui et se fortifier dans son sein ! Hélas ! tout le temps de notre vie ne peut être mieux employé qu'à lui dresser un concert éternel de louanges et d'actions de grâces !”

Le jeune homme ému, étonné, conserve la double impression qu'il a reçue presque au même instant ; il pleure de joie, il ne peut rassasier son ardente curiosité, elle s'enflamme à chaque pas qu'il fait dans ces deux univers. »

Louis-Sébastien MERCIER,
L'An 2440 ou Rêve s'il en fut jamais, chapitre XXI.

QUESTIONS

1. Quels sont les points communs avec le texte de Pascal (voir p. 202) ?
2. Quel renversement se produit ici ?

QUESTIONS D'ENSEMBLE

1. Précisez les conditions d'énonciation de chaque texte de ce corpus.
2. En quoi le motif du voyage favorise-t-il la dimension argumentative de ces divers romans ?

Sujet de bac

DISSERTATION

Dans son conte *Le Taureau blanc* (chapitre IX), Voltaire semble définir le conte idéal : « Je veux qu'un conte soit fondé sur la vraisemblance et qu'il ne ressemble pas toujours à un rêve. Je désire qu'il n'ait rien de trivial ni d'extravagant. Je voudrais surtout que, sous le voile de la fable, il laissât entrevoir aux yeux exercés quelque vérité fine qui échappe au vulgaire ». Quels textes de ce corpus vous paraissent correspondre à cette définition ? Pourquoi ?

Commentaire

Commentez le texte de Louis-Sébastien Mercier en montrant par quels moyens il donne une image rassurante des deux infinis.

Écriture d'invention

Vous devez justifier, dans une conversation avec un étranger, une habitude qui vous est propre.

LECTURES DE *MICROMÉGAS* ET DE *L'INGÉNU*

Au XVIIIe siècle, l'attitude de Mercier envers Voltaire est plutôt ambiguë. Il a beaucoup d'admiration pour *L'Ingénu* :

« Le Huron ou *L'Ingénu*, roman de Voltaire, un des mieux faits qui soient sortis de sa plume. Le Huron enfermé à la Bastille avec un janséniste est la chose du monde la plus ingénieusement imaginée. »

Louis-Sébastien MERCIER, *L'An 2440 ou Rêve s'il en fut jamais*, chapitre XXXVII, De l'héritier du trône, 1771.

mais moins pour l'auteur, sur lequel il lui arrive de formuler deux jugements exactement contraires :

« Je tombai sur un Voltaire.

"Ô ciel ! m'écriai-je, qu'il a perdu de son embonpoint ! Où sont les vingt-six volumes in-quarto émanés de sa plume brillante, intarissable ? Si ce célèbre écrivain revenait au monde, qu'il serait étonné !

— Nous avons été obligés d'en brûler une bonne partie, me répondit-on. Vous savez que ce beau génie a payé un tribut un peu fort à la faiblesse humaine. Il précipitait ses idées et ne leur donnait pas le temps de mûrir. Il préférait tout ce qui avait un caractère de hardiesse à la lente discussion de la vérité. Rarement aussi avait-il de la profondeur. C'était une hirondelle rapide, qui frisait avec grâce et légèreté la surface d'un large fleuve, qui buvait, qui humectait en courant : il faisait du génie avec de l'esprit. On ne peut lui refuser la première, la plus noble, la plus grande des vertus : l'amour de l'humanité. Il a combattu avec chaleur pour les intérêts de l'homme. Il a détesté, il a flétri la persécution, les tyrans de toute espèce. Il a mis sur la scène la morale raisonnée et touchante. Il a peint l'héroïsme sous ses véritables traits. Il a enfin été le grand poète des Français. Nous avons conservé son poème, quoique le plan en soit mesquin, mais le nom de Henri IV le rendra immortel. Nous sommes surtout idolâtres de ses belles tragédies où règne un pinceau si facile, si varié, si vrai. Nous avons conservé tous les morceaux de prose où il n'est pas bouffon, dur ou mauvais plaisant : c'est là qu'il est vraiment original. Mais vous savez que les quinze dernières années de sa vie, il ne lui restait plus que quelques idées qu'il représentait sous cent faces diverses. Il rabâchait perpétuellement la même chose. Il livrait combat à des gens qu'il aurait dû mépriser en silence. Il a eu le malheur d'écrire des injures plates et grossières contre Jean-Jacques Rousseau, et une fureur jalouse l'égarait tellement alors qu'il écrivait sans esprit. Nous avons été obligés de brûler ces misères, qui l'eussent infailliblement déshonoré dans la postérité la plus reculée. Jaloux de sa gloire plus qu'il ne le fut, pour conserver le grand homme, nous avons détruit la moitié de lui-même. »

Louis-Sébastien MERCIER, *L'An 2440 ou Rêve s'il en fut jamais*, chapitre XXVIII, La Bibliothèque du Roi, 1771.

Ce texte figure également dans le *Tableau de Paris*, dont l'édition de 1776 donne une version radicalement différente comme on peut en juger par son début :

« Je tombai sur un Voltaire. Que je suis charmé, m'écriai-je ! de retrouver ici ces trente-deux volumes in-quarto émanés de cette plume brillante intarissable ! »

Or, ces deux textes paraissent du vivant de Voltaire, mais non le suivant :

« Le poète [c'est Voltaire qui est ainsi désigné], il est vrai, qui avait acquis une érudition prodigieuse, enfantait beaucoup de pensées hardies et plaisantes, sur lesquelles il ambitionnait le titre de philosophe : mais l'autre [J.-J. Rousseau], par une vie conforme à ses principes, et par son entier dévouement à la vérité, en méritait seul le nom. Le poète, jaloux de toute espèce de rival, à force d'art s'était rendu monarque dans la République des Lettres ; il attirait la vapeur des hommages, et, comme le soleil, il colorait ses nuages de ses rayons : sensible jusque dans ses moindres ouvrages, la critique même la plus aveugle irritait ses esprits ; et tandis qu'il s'emportait contre la satire, il cherchait à dénigrer des hommes chers à la patrie. Le philosophe, exempt de cette vanité misérable, avait un orgueil franc et sincère ; sentant sa supériorité, il riait des traits impuissants de ses adversaires et s'applaudissait du nombre. Enfin l'un, après s'être vu longtemps disputer l'honneur d'être compté parmi les grands hommes, avait réuni, ou plutôt emporté tous les suffrages, et sur un trône d'airain jouissait avec pompe de la gloire la plus grande et la mieux méritée ; l'autre bien moins souple, bien moins adroit, bien moins fin, avait plu par son caractère singulier, ses vertus, son courage et même son humeur ; banni mais adoré du public ; exilé indignement de son pays natal qu'il avait honoré, mais cher à toutes les nations, il avait avec peine trouvé un asile où il pût reposer sa tête ; mais les acclamations de l'Europe et le témoignage de son cœur pouvaient le consoler. »

Louis-Sébastien MERCIER, *Mon bonnet de nuit*, Parallèle de Voltaire et de J.-J. Rousseau, 1784.

Au XIXe siècle, le père Mestre, jésuite, se livre à une attaque en règle contre Voltaire.

« Voltaire, né à Paris (1696 [sic-1694]-1778) s'est essayé dans tous les sujets, drame, épopée, histoire, roman, philosophie, religion ; mais jamais il ne s'est élevé au-dessus du médiocre. On le lui pardonnerait, s'il ne s'était pas fait le champion de l'erreur et de l'impiété. Il n'y a que deux genres où il a excellé : la poésie légère et le style épistolaire. Doué d'un esprit vif et pénétrant, d'une imagination impressionnable, d'une certaine chaleur de sentiment qui allait jusqu'à l'exaltation, Voltaire avait tout ce qu'il fallait pour la causerie épistolaire. Malheureusement sa haine satanique contre la religion chrétienne, son irritabilité excessive envers ceux qui avaient le malheur de ne pas s'incliner devant l'idole de Ferney, ses procédés malhonnêtes et son libertinage souillent comme une lèpre sa vaste correspondance. Il faudrait la réduire aux trois quarts pour l'honneur de sa mémoire, et alors on aurait une œuvre vraiment utile à former le goût, sans danger pour la foi et les mœurs. »

Père MESTRE, *Principes de Littérature*, 1882.

Parlant des « contes fantaisistes » de Voltaire, Gustave Lanson écrit dans son *Histoire de la littérature française :*

« Ces courts récits ne sont jamais impersonnels et objectifs. La trame en a été composée de façon à faire saillir vigoureusement l'incohérence des motifs ou l'absurdité des actes ; les faits qui y sont groupés sont des exemples des motifs ou des préjugés que Voltaire combat. Ainsi l'ironie enveloppe constamment le récit. Cette ironie est

dépourvue de toute indulgence. Aux yeux de Voltaire, tous nos actes relèvent de la raison : quand nous commettons une sottise, une injustice, un crime même, c'est que nous raisonnons de travers ; il doit suffire de nous rendre sensible, par le ridicule, le vice de notre raisonnement pour que nous nous réformions. Ainsi le fondement de l'ironie voltairienne, de ce ricanement fameux, est identique à celui du comique moliéresque. Cette façon de prendre les choses par la raison plutôt que par le sentiment est éminemment française...
Voilà par où Voltaire est le maître du conte moral ou philosophique. Il a élevé à la perfection les qualités de malice, de netteté, de rapidité de nos conteurs facétieux et satiriques. Chaque incident du récit est comme une expérience bien préparée qui dégage instantanément le contenu de vérité ou d'erreur disimulé dans telle théorie abstraite. Et les petits faits significatifs sont combinés entre eux de façon à faire ressortir avec une netteté parfaite l'idée générale. Les contes de Voltaire sont construits, dans leur plan et dans leur style, avec une rigueur mathématique ; tout vise l'intelligence, tout y fait démonstration. »

Gustave LANSON, *Histoire de la littérature française*, 1894.

Au XXe siècle, Desgranges évoque ainsi *Micromégas* :

« *Micromégas* (1752) : Voltaire suppose qu'un habitant d'une des planètes de l'étoile Sirius, auquel il donne le nom de Micromégas (de deux mots grecs qui signifient *petit* et *grand*), voyage sur la Terre et y apprend que rien n'est grand en soi, ni petit, mais que tout est relatif. Dans ce spirituel roman, Voltaire imite le *Gulliver* de Swift. »

Charles-Marie DESGRANGES, *Histoire de la littérature française des origines à 1920*, 1927.

Desgranges ne souffle mot de *L'Ingénu*, qu'il juge sans doute dangereux.

René Pomeau tente de mesurer l'influence durable de Voltaire sur les mentalités.

« L'esprit voltairien a pénétré peu ou prou tous les esprits. Rousseau lui-même, quand il traitait des miracles, se laissait aller à des plaisanteries voltairiennes. Voltaire a rendu intolérables des superstitions, des abus ecclésiastiques qui ne renaîtront plus quand l'Église, après

Micromégas, par Maurice Pouret (1864).
(Bibliothèque nationale de France, Paris.)

la tempête, renaîtra. La tolérance religieuse est une conquête définitive, qui ne sera pas remise en question, même par les gouvernements les plus favorables à l'autel. Il est incontestable aussi que Voltaire a vulgarisé en France un esprit de critique qui ne s'en laisse pas conter. À l'époque romantique, quand le « hideux sourire » est officiellement réprouvé, le doute voltairien subsiste pourtant dans des âmes nullement voltairiennes. »

René POMEAU, *Voltaire par lui-même*, Le Seuil,
Écrivains de toujours, 1955.

« Il n'est pas indifférent que les principaux héros de l'œuvre romancée soient Candide, l'Ingénu et Zadig (celui qui dit la vérité) ; Voltaire aime la candeur du récit, le style direct qui laisse parler les faits, habilement groupés sans doute, mais exposés sans apparat. Une page de Voltaire veut toujours être éducative, et, comme les bons pédagogues, il dispose ses exemples et ses illustrations bien clairement : il ne donne jamais l'impression de développer pour développer, de chercher le plaisir des sens en oubliant l'intérêt de l'esprit, et c'est peut-être par là qu'il s'oppose le plus radicalement aux romantiques. Même dans ses élans les plus passionnés, on sait qu'il contrôle sa verve, et là où il est le plus lui, c'est dans ces moments de gaîté contenue, de bonhomie naïve où la phrase coule sans bruit et fait diligemment son travail sans qu'on pense à s'arrêter pour en examiner la tournure. Pour ces pages-là, aucune citation de quelques lignes n'est suffisante ; il faut tout lire, il faut lire d'affilée le premier chapitre de *L'Homme aux quarante écus*, ou l'arrivée de l'Ingénu à Versailles, ou l'autodafé de *Candide*, pour se laisser prendre à cette très légère ivresse d'un style volontairement dépouillé de tout moyen incantatoire, mais qui, par des états élémentaires et par endroits schématiques, obtient l'audience des amateurs très avertis. C'est que son dépouillement même est le signe d'une sagesse. »

Raymond NAVES, *Voltaire*, Hatier,
Connaissance des lettres, 1966.

LIRE

Bibliographie

– *L'Ingénu*, éd. critique par W. R. JONES, Droz, 1936.

– *Micromégas*, éd. critique par I. O. WADE, Droz, 1950.

– VOLTAIRE, *Correspondance choisie*, choix, présentation et notes de J. HELLEGOUARC'H, Le Livre de Poche classique, 1990.

– *Voltaire en son temps*, sous la direction de R. POMEAU, cinq volumes, Oxford, 1985-1994.

Pour le tricentenaire de la naissance de Voltaire, de nombreux ouvrages ont paru. Signalons :

– G. CHAUSSINAND-NOGARET, *Voltaire et le siècle des Lumières*, Complexe, 1994.

– J. LEMAIRE, R. TROUSSON, J. VERCRUYSSE, *Dictionnaire Voltaire*, Hachette, 1994.

– R. POMEAU, *Voltaire et l'Europe*, Complexe, 1994.

et la réédition de :

– R. POMEAU, *Voltaire*, Le Seuil, coll. « Points », 1994 (1re éd. 1960).

LES NOMS PROPRES DE *MICROMÉGAS* ET DE *L'INGÉNU*

Les noms en ***gras italique*** figurent dans *Micromégas*. Les noms en **gras romain** figurent dans *L'Ingénu*. Les noms suivis d'un astérisque figurent dans les deux œuvres.

Aristote : philosophe grec (384-322 av. J.-C.), le prince des philosophes. Il est moins cité ici pour ses œuvres morales que pour sa « physique » débouchant sur la métaphysique, où il rend compte de l'organisation des êtres vivants et de leur devenir. Il distingue la matière (= être en puissance) de la forme (= entéléchie, être en acte), qui est le principe d'organisation de la matière.

Augustin (saint) : évêque d'Hippone près de Bône en Algérie, docteur et père de l'Église (354-430) ; il influença le jansénisme.

Bélisaire : général de Justinien, empereur d'Orient (500-565) ; nom d'un roman de Marmontel (1766).

Bolingbroke : homme politique anglais (1678-1751) ; Voltaire le rencontra en 1722, alors qu'il séjournait près d'Orléans, au château de La Source, qu'il avait pris en location.

Bossuet (Jacques Bénigne) : prélat, théologien et écrivain français (1627-1704). Évêque de Condom, puis de Meaux, il fut le véritable chef de l'Église de France. Sa renommée repose sur ses *Oraisons funèbres*, mais il fut aussi précepteur du dauphin pour lequel il rédigea le *Discours sur l'histoire universelle*. Il polémiqua avec les protestants et avec Fénelon, car il fut constamment fidèle à la stricte orthodoxie.

Canicule : autre nom de la constellation du Grand Chien où se trouve l'étoile Sirius. Elle se lève et se couche avec le soleil entre le 22 juillet et le 23 août, ce qui correspond à la période des plus fortes chaleurs, d'où une signification dérivée.

Corneille (Pierre) : poète dramatique français (1606-1684), cité ici pour ses tragédies *Cinna* (1641) et *Rodogune* (1644).

Dunstan (saint) : bénédictin (924-988), évêque de Worcester puis de Cantorbury ; il n'était pas Irlandais mais originaire de l'Essex. Il réforma les abus et le relâchement des monastères, et condamna notamment le mariage des clercs ; toutes sortes de légendes courent à son sujet.

Ecclésiaste (L') : livre de la Bible, dont le titre signifie « celui qui prend la parole en public », attribué à Salomon par la tradition. Un vers en est cité ici (XL, 20) : « Le vin et la musique réjouissent le cœur ».

Fénelon (François de Salignac de La Mothe) : prélat français (1651-1715), précepteur du duc de Bourgogne (de 1689 à 1694), et évêque de Cambrai. Il écrivit pour son élève *Les Aventures de Télémaque* (1699). Il déplut au roi pour ses opinions politiques hardies, et fut contesté par Bossuet pour ses idées religieuses.

Fontenelle (Bernard Le Bovier de) : savant, philosophe et écrivain français (1657-1757), neveu de Corneille, célèbre pour sa longévité et son rôle influent de secrétaire de l'Académie des sciences. Il figure ici surtout pour son ouvrage *Entretiens sur la pluralité des mondes* (1686) et pour son *Éloge de M. de Tournefort*, recueilli dans le second volume des *Éloges* (1717) qu'il prononça comme secrétaire.

Gordon : on ne connaît pas de solitaire de ce nom ; en revanche, Voltaire a pu se souvenir du polémiste anglais, Thomas Gordon, mort en 1750, adversaire de l'intolérance, qu'il a peut-être rencontré en Angleterre.

Guillaume III : stathouder de Hollande (1650-1702), désigné par le Parlement comme roi d'Angleterre le 13 février 1689, en remplacement de Jacques II. Jusqu'à sa mort il s'opposa à toutes les tentatives de ce dernier, soutenu par la France, pour reprendre son trône.

Harlay de Champvallon (François de) : (1625-1695) archevêque de Paris depuis 1671, mena une vie fort galante. Sa liaison avec Mme de Lesdiguières était connue de tous.

Hector : héros de l'*Iliade*, le plus vaillant des défenseurs de Troie, époux d'Andromaque. Il fut tué par Achille.

Huygens (Christiaan) : physicien, mathématicien et astronome hollandais (1629-1695). Il fut invité à Paris par Colbert, mais dut repartir à la révocation de l'édit de Nantes. On lui doit le calcul des probabilités, l'horloge à balancier et la découverte de l'anneau de Saturne et de la rotation de Mars.

Juda (patriarche) : il est dit de lui dans la Genèse, XLIX, 11 :
« Il lie à la vigne son ânon,
Au cep le petit de son ânesse.
Il lave son habit dans le vin,
Son manteau dans le sang des [raisins. »

La Chaise (le père François d'Aix de) : jésuite (1624-1709), conseiller et confesseur de Louis XIV à partir de 1675 ; il lutta contre les jansénistes, mais son rôle dans la révocation de l'édit de Nantes est discuté.

Leibniz (Wilhelm Gottfried) : philosophe et savant allemand (1646-1716). Sa théorie de l'harmonie préétablie lui valut de passer aux yeux de Voltaire pour le représentant de l'optimisme.

Locke (John) : philosophe anglais (1632-1704). Son *Essai sur l'entendement humain* relève de l'empirisme, qui veut que les idées nous soient fournies par les sens. Il fut critiqué par Leibniz.

Louvois (François Michel Le Tellier, marquis de) : homme d'État du règne de Louis XIV (1639-1691). Secrétaire d'État à la Guerre, son action est controversée : il fut un organisateur hors pair, mais aussi le responsable du sac du Palatinat et des dragonnades.

Lully (Jean-Baptiste)* : surintendant de la musique et créateur de l'opéra français (1632-1687). Avec le décorateur Vigarani, il développa l'art du changement de décor et des machines. La querelle des partisans de la musique italienne, plus recherchée, contre ceux de la musique française de Lully, plus simple, se développa surtout entre 1702 et 1705.

Malebranche (Nicolas) : philosophe et théologien français (1638-1715). Pour lui la volonté divine est la seule cause efficiente de ce qui se produit dans la nature, où tout s'enchaîne mécaniquement.

Marmontel : voir **Bélisaire**.

Pascal (Blaise) : savant et écrivain français (1623-1662). Il se consacra d'abord aux sciences (arithmétique, probabilités, le vide, etc.) ; après une crise religieuse (23 novembre 1654), il défendit les jansénistes dans *Les Provinciales* (1656-1657) et laissa inachevée une *Apologie de la religion chrétienne* dont nous conservons les fragments sous le nom de *Pensées*.

Quesnel (Pasquier) : théologien français (1634-1719), prêtre oratorien devenu chef du parti janséniste ; ses *Réflexions morales sur le Nouveau Testament* (1699) furent condamnées par la bulle *Unigenitus* (1713), c'est-à-dire un « décret » du pape, ce qui déclencha la répression du jansénisme.

Racine (Jean) : poète dramatique français (1639-1699), élevé dans le milieu de Port-Royal. Sont citées ici sa comédie *Les Plaideurs* (1668), ses tragédies *Andromaque* (1667), *Iphigénie* (1674), *Phèdre* (1677) et *Athalie* (1691).

Rollin (Charles) : professeur et écrivain français (1661-1741) ; Voltaire le désigne parfois aussi par l'anagramme « Linro ». Il était janséniste et croyait aux miracles du diacre Pâris, et fut inquiété pour cela. Voltaire fait allusion à son ouvrage *De la manière d'enseigner les belles-lettres, par rapport à l'esprit et au cœur* (1726-1728).

Saint-Pouange ou **Saint-Pouenge (Gilbert Colbert, marquis de)** : premier commis et principal collaborateur de Louvois, secrétaire d'État à la Guerre (1642-1706).

Thomas (saint Thomas d'Aquin) : théologien et philosophe italien (1227-1274), surnommé le Docteur angélique, dominicain. Son ouvrage principal, *La Somme*, essaie de concilier les dogmes du christianisme et la théorie d'Aristote.

Thucydide : historien grec du Ve siècle avant J.-C., le plus illustre du monde antique. Son *Histoire de la guerre du Péloponnèse* est remarquable par l'exactitude de la documentation et l'impartialité.

Virgile** : poète latin (70-19 av. J.-C.). Le vers 3 de la Ire églogue des *Bucoliques* est cité dans *L'Ingénu*. Dans *Micromégas*, il est fait allusion aux *Géorgiques*, chapitre IV.

LES TERMES DE CRITIQUE

Badinage : forme stylistique de la plaisanterie, qui joue sur la légèreté, l'enjouement, et qui traite avec aisance les sujets, même graves, en refusant de les prendre au sérieux.

Comparant : dans la comparaison et dans toute figure d'analogie, le point de départ s'appelle le comparé. Il est rapproché, de diverses manières, d'une autre notion qui est le comparant. Ainsi, en disant que « l'hermine n'est pas plus blanche que l'était Abacaba », le Huron établit l'analogie entre le comparé, « Abacaba », et le comparant « la blanche hermine ».

Dramatique : **1**. Qui appartient au genre théâtral, ou qui présente des caractéristiques proches de celles de la mise en scène théâtrale. **2.** Propre à susciter l'intérêt par son caractère mouvementé et/ou émouvant.

Énonciation : acte individuel de langage dont le produit s'appelle l'énoncé. Dans l'œuvre littéraire, on s'intéresse plus spécialement aux formes qu'elle revêt : narration, discours, lettre, etc., et donc aux traces laissées dans l'énoncé par l'énonciation.

Éponyme : le héros éponyme est celui dont le nom sert de titre à l'œuvre (*Micromégas*, *L'Ingénu*). Il en est donc le personnage principal, et tend de ce fait à constituer un type littéraire.

Euphémisme : technique d'écriture par laquelle on évite de nommer directement et brutalement les réalités, souvent sexuelles.

Ironie : procédés souvent liés au ton, par lesquels on amène le destinataire à comprendre que la vraie pensée est le contraire de ce que l'on a l'air de dire.

Métaphore : figure de style identifiant l'une à l'autre deux réalités sur la base d'une analogie qui reste implicite ou indirecte, au contraire de la comparaison qui pose et explicite cette analogie.

Narrateur : c'est la voix qui assure la narration et dont les traces sont plus ou moins visibles dans l'œuvre, soit qu'il s'agisse ouvertement de l'auteur, soit que celui-ci se dissimule autant que possible, soit encore qu'un des personnages s'en voie déléguer le soin.

Parabole : récit ayant une valeur symbolique morale ou religieuse.

Pathétique : l'adjectif signifie « qui émeut les passions » ou, tout simplement, « qui émeut ». Substantivé, c'est un terme utilisé pour les arts. Au XVIIIe siècle, on distingue le pathétique direct, qui consiste à représenter l'émotion même qu'on veut susciter ; et le pathétique réfléchi, qui provoque l'émotion sans se servir des manifestations de cette émotion.

Polysémie : c'est le fait qu'un terme ait plusieurs sens enregistrés par le dictionnaire. À distinguer de l'homonymie parfaite (deux mots différents ont la même forme apparente : *louer* un bateau/*louer* la générosité de quelqu'un) ; à opposer à la monosémie, où le mot n'a qu'un seul sens possible.

Protagoniste : au sens propre, c'est l'acteur principal d'une pièce de théâtre ; par extension, le mot sert à désigner les personnages principaux d'une action.

Roman héroïque : cette notion est à la fois historique (il s'agit de la forme d'abord la plus répandue du roman à l'âge classique) et formelle (le roman est consacré à un héros dont il exalte les valeurs morales). Exemple : *Le Grand Cyrus* (1649-1653) de Madeleine de Scudéry.

Satire : en littérature, discours qui s'attaque à quelqu'un ou à quelque chose en s'en moquant. Dans l'usage général, critique (*faire la satire de*).

POUR MIEUX EXPLOITER LES QUESTIONNAIRES

Ce tableau fournit la liste des rubriques utilisées dans les questionnaires, avec les renvois aux pages correspondantes, de façon à permettre des **études d'ensemble** sur tel ou tel de ces aspects (par exemple dans le cadre de la lecture suivie).

RUBRIQUES	PAGES	
	Micromégas	*L'Ingénu*
GENRES	32	70, 78, 80, 90, 98, 107, 125, 129, 132, 136, 143
PERSONNAGES	25, 47	78, 80, 86, 90, 99, 107, 120, 123, 125, 129, 142, 151, 160
QUI PARLE ? QUI VOIT ?	25, 32, 41, 47, 55	94, 114, 120, 123, 161
REGISTRES ET TONALITÉS	29, 36, 40, 42, 56	70, 86, 125, 132, 159, 160
SOCIÉTÉ		70, 86, 98, 99, 120, 129, 136, 142, 151
STRATÉGIES	25, 29, 32, 36, 40, 41, 47, 54, 55	80, 86, 94, 98, 100, 107, 114, 129, 132, 136, 142, 143, 159
STRUCTURE	29, 40, 54	78, 99, 107, 120, 143, 151, 159, 160
THÈMES	25, 29, 32, 36, 40, 41, 54, 55	70, 78, 80, 86, 90, 94, 107, 114, 123, 143, 151, 159, 160

TABLE DES MATIÈRES

L'INGÉNU

L'UNIVERS DE L'ŒUVRE

ANNEXES

COUVERTURE : *Sauvage Nepisingue du Canada*, gravure anonyme coloriée, 1717
(Bibliothèque nationale de France, Paris.)

CRÉDITS PHOTO :
Couverture : Ph. Coll Archives Larbor. – p. 2 Ph. H. Josse © Archives Larbor/T. – p. 3 ht Ph
Jeanbor © Archives Larbor/T. – p. 3 bas Ph. Coll Archives Larbor/T. – p. 4 Ph. H. Josse ©
Archives Larbor. – p. 5 ht Ph. F. Martin © Archives Larbor/T. – p. 5 bas Ph. L. de Selva ©
Archives Larbor/T. – p. 6 Ph. Eileen Tweedy © Archives Larbor/T. – p. 7 ht Ph. H. Josse ©
Archives Larbor/T. – p. 7 bas Ph. Jeanbor © Archives Larbor/T. – p. 8 ht Ph. Coll Archive
Larbor/T. – p. 8 bas Ph. Coll Archives Larbor. – p. 12 Ph. Coll Archives Larbor. – p. 15 Ph
© Bulloz/RMN/T. – p. 20 Ph. Coll Archives Larbor/T. – p. 45 Ph. Coll Archives Larbor/T
– p. 61 Ph. Coll Archives Larbor. – p. 135 Ph. Coll Archives Larbor. – p. 140 Ph. Co
Archives Larbor. – p. 219 Ph. JL Charmet/Bridgeman-Giraudon/DR/T.

Direction éditoriale : Pascale Magni – *Coordination* : Franck Henry – *Édition* : Stéphani
Simonnet – *Révision des textes* : Laurent Strim – *Iconographie* : Christine Varin – *Maquette inté-
rieure* : Josiane Sayaphoum – *Fabrication* : Jean-Philippe Dore – *Compogravure* : PPC.

Imprimé en France par France Quercy – N° de projet : 10098475 – Dépôt légal : juillet 20